L'ÉCOLE DES PÈRES

Hervé Bazin est né le 17 avril 1911, à Angers. Les Bazin, fixés deux siècles à Segré, en Anjou, n'appartiennent pas seulement à la littérature par René Bazin, grand-oncle d'Hervé; le grand-père de l'auteur, l'économiste F.J. Hervé Bazin, a publié, sous le nom de Charles Saint-Martin, de nombreux romans.
Elevé jusqu'à l'âge de onze ans par sa grand-mère, Hervé Bazin a tardivement connu ses parents. Après des études mouvementées, sous divers précepteurs, puis dans cinq collèges, il entreprend une licence en droit à la faculté catholique d'Angers. Puis, à la suite de violents démêlés avec sa famille, il se sépare d'elle pour aller en Sorbonne préparer une licence ès lettres. Cependant, pour vivre, il doit exécuter des métiers divers, souvent inattendus.
Cette jeunesse orageuse, s'apaise après la guerre. Hervé Bazin, avec un groupe d'amis, dont certains sont aujourd'hui célèbres, fonde une revue, collabore à divers journaux, publie des articles et des poèmes, reçoit le Prix Apollinaire pour son recueil intitulé Jour.
En 1948, il publie Vipère au poing, *qui obtient immédiatement un succès considérable.*
En 1949, paraît La Tête contre les murs, *dont on devait, dix ans plus tard, tirer un film; et en 1950* La Mort du petit cheval.
Successivement, Hervé Bazin publie un recueil de nouvelles : Le Bureau des mariages *(1951), un roman :* Lève-toi et marche *(1952), et un nouveau roman :* L'Huile sur le feu, *également porté à l'écran (1954).*
Proclamé en 1955, à la suite du référendum organisé par les Nouvelles littéraires, *« meilleur romancier des dix dernières années », Hervé Bazin tient le feuilleton critique de « L'Information », et publie en 1956* Qui j'ose aimer. *Le succès de ce roman lui vaut de recevoir en 1957 le Grand Prix littéraire de Monaco, et d'être élu, en 1958, à l'Académie Goncourt.*
Durant les années qui suivent, il donne notamment de grands reportages à « France Soir », voyage pour l'Organisation Mondiale pour la Santé.
En 1960, Hervé Bazin publie Au nom du fils, *puis en 1963 :* Chapeau bas, *un recueil de nouvelles, et en 1967, un roman :* Le Matrimoine, *autre grand succès.*
En avril 1970 paraît Les Bienheureux de la Désolation, *roman parallèle à un fait divers qui, Outre-Manche, a défrayé la chronique et passionné les sociologues.*
En 1971, il donne une deuxième édition de Jour, *suivi de* A la

(Suite au verso.)

poursuite d'Iris, *et, il achève la trilogie avec* Le Cri de la chouette.
En 1975, il publie Madame Ex, *roman d'un divorce, au moment même où le parlement doit se prononcer sur une nouvelle législation. La rencontre nullement préméditée, suffirait à prouver l'actualité d'une œuvre que la presse a saluée avec éclat.*
En 1976, il publie Traits, *recueil d'épigrammes; en 1976,* Ce que je crois, *essai; en 1978* Un feu dévore un autre feu, *roman; en 1981* L'Eglise verte, *roman; en 1984,* Abécédaire, *essai; en 1988,* Le Démon de minuit, *roman...*
Président des Goncourt depuis 1972, membre du conseil d'administration du Centre National des Lettres, Hervé Bazin habite néanmoins en province où marié, père de sept enfants, il entend écrire « à l'écart des modes ». Son œuvre, considérée comme classique, traduite en 37 langues, figure au programme de français en France même et dans plusieurs pays.

L'Ecole des pères. Que l'œuvre d'Hervé Bazin soit, pour l'essentiel, une chronique de l'évolution des mœurs dans la seconde moitié du XXe siècle, nul doute. On peut même se demander si son nouveau roman n'achève pas un cycle. *Le Matrimoine* nous a proposé le portrait d'un homme *en mari.* Voici brossé celui du même homme en *père.*
Rôle ingrat, désormais? Rôle nouveau en tout cas, depuis 1968, notamment pour Abel Bretaudeau bousculé par le changement. Tout va si vite! Dans les vingt années qui suivent, éducateur s'éduquant sur le tas, Abel doit se remettre en question, s'interroger sur son rôle et ses moyens, s'en contenter, transiger avec l'école, la télé, les copains, construire vaille que vaille une démocratie familiale. Agitée, forcément! Avec les enfants grandissent leurs problèmes que l'adolescence rend aigus et dont la solution, faute de consensus, varie de maison en maison. Quelle indépendance, quelles études encourager? Que reste-t-il de valeurs à transmettre? Comment accueillir les premières amours? Et quand ils seront partis, ces enfants, devenus adultes et vivant au loin des vies différentes, que pourra-t-il encore, Abel, que pourra-t-il pour eux?
Bien que *L'École des pères* ne relève aucunement de l'autobiographie, Hervé Bazin qui a sept enfants, onze petits-enfants, sait ce dont il parle. Il anime à sa façon cet Abel qui, d'abord pas très doué, apprend la compréhension, l'indulgence et raconte sa paternité sur un ton tour à tour amusé, vengeur, ironique ou tendre, transfigurant des situations que nous connaissons tous.

HERVÉ BAZIN
DE L'ACADÉMIE GONCOURT

L'École des pères

ROMAN

ÉDITIONS DU SEUIL

Dans Le Livre de Poche :

VIPÈRE AU POING.
LA MORT DU PETIT CHEVAL.
LA TÊTE CONTRE LES MURS.
LÈVE-TOI ET MARCHE.
L'HUILE SUR LE FEU.
QUI J'OSE AIMER.
AU NOM DU FILS.
CHAPEAU BAS.
LE MATRIMOINE.
CRI DE LA CHOUETTE.
MADAME EX.
UN FEU DÉVORE UN AUTRE FEU.
L'ÉGLISE VERTE.
ABÉCÉDAIRE.
LE DÉMON DE MINUIT.

Tournant critique ! Les enfants contestent leurs parents, la fin du monde est proche.

Papyrus égyptien du IIIe millénaire avant Jésus-Christ.

On aurait des enfants tout élevés si leurs parents l'étaient eux-mêmes.

Goethe.

Disons-le en un mot : d'assurée la famille est devenue incertaine.

Louis Roussel.

S'il n'est bon bec que de Paris, il ne faut pas trop s'y fier pour savoir ce qui se passe en province.

Mathilde Alanic.

À Jean Monnier

1968

Pitoyables obsèques ! Voilà dix mois, l'horrible fin des filles, Reine et Simone, brûlées vives ainsi que Julien, le gamin d'Éric, dans leur voiture, percutée par un camion, avait ému et rallié toute la ville autour des Guimarch effondrés. Aujourd'hui, le glas de leur père n'a pas dérangé trente personnes.

Que peut-on contre une grève ? Il était populaire, Toussaint, le gros bonnetier de la rue des Lices, dont le prénom faisait la joie des légions célestes, mais aussi des terrestres qu'il honora de sa rondeur et divertit de ses calembours au sein de la chambre de commerce, du Rotary ou de la confrérie des Sacavins. Mais les transports sont paralysés, les faire-part restés dans les casiers de tri, et si quelques télégrammes ont atteint leurs destinataires, aucun d'eux n'a pu prendre le train ni l'avion. Nous ne savons rien des cousins de Bretagne ni de ceux du Midi. Nous ne savons rien de Gontran Rabault, le mari d'Arlette, sans doute bloqué dans un hôtel de Lille et incapable d'assurer les réassorts auprès des Lainières du Nord. Nous ne savons rien de l'autre beau-frère, Éric, dont la désertion conjugale, dernier souci du disparu, passera du moins inaperçue. Seuls les gens du quartier ont été alertés par les tentures semées de larmes d'argent qui encadrent le magasin et cachent la fameuse enseigne :

chez qui l'ange vint

Parmi la fièvre générale, les vociférations, le grand piétinement des citadins convoqués par les haut-parleurs de la CGT et rejoignant le meeting de la place Imbach, ça devient moins important, le décès d'un petit commerçant dont les collègues, peu rassurés, ne songent qu'à baisser leurs rideaux de fer.

Un moment même, nous nous sommes demandé si les pompes funèbres, dont la sombre devanture avoisine la mairie et doit être noyée par la foule, n'allait pas déclarer forfait. Privés d'électricité, nous sommes restés dans le vestibule autour de la bière qui sentait le vernis et, à la lueur des cierges projetant nos ombres molles sur les cloisons, nous avons attendu les couronnes : si longuement que pour faire tenir les enfants tranquilles Mamoune n'a pas hésité à les installer devant une bande dessinée. Débouchant du boulevard du Roi-René encombré de cohortes, le fourgon est enfin arrivé et il ne nous a pas fallu moins de vingt minutes de roue à roue pour atteindre nous-mêmes le parvis traversé par d'autres formations remontant de La Doutre et fluant sous leurs pancartes.

– Au moins Toussaint n'aura pas vu ça ! a murmuré Mamoune en entrant dans la cathédrale.

*

La voilà qui en ressort, lente et droite, soutenue pour la forme par Mariette, ma femme. En fait, ce n'est pas l'ordonnateur à l'échine pliée, c'est bien Mamoune qui, du regard, entraîne les siens. Malgré la soudaineté de ce nouveau deuil, malgré l'arthrose qui lui torture un genou, elle n'a pas faibli une seconde. Ce mélange d'autorité, d'attention pour les petites choses, de rapidité dans les décisions, d'idolâtrie pour la marmaille, qui lui est propre, le veuvage semble l'avoir sublimé. Décemment dolente, certes, mais nullement chancelante, elle a pensé à tout, depuis deux jours : aux formalités, au convoi, au service, aux insertions dans la presse, au caveau, aux teintures, sans oublier les commandes en cours. Pour qui veillait le corps, elle a fait du café. Elle a pris soin de descendre au magasin ses canaris, qui s'égosillaient. Mais, refusant de voiler les glaces comme le proposait Arlette, de chuchoter, de s'enliser dans les condoléances, elle a même arrêté sa femme de journée lancée dans de filandreuses considérations sur la mort du juste :

– Oui, Mélanie, juste ce qu'il fallait.

Cependant le cercueil, dont luisent les poignées d'argent, a quitté la nef et regagné le fourgon. Les portes se referment sans bruit. Les aides lèvent le nez un instant vers le ciel laiteux que baratte un hélicoptère de police, puis raccrochent les couronnes, plutôt chétives et que ne sont pas venues rejoindre les gerbes habituellement offertes par les sociétés dont faisait partie le défunt. À MON ÉPOUX, À NOTRE PÈRE : ce serait tout si mon bon oncle n'avait commandé une croix de roses rouges où ne figure pas son prénom, Charles, mais ce surnom que les intimes ont toujours employé : Tio. Mme Guimarch, *alias* Mamoune (que son mari lui-même n'appelait jamais autrement), remercie d'un battement de cils et répartit son monde. Éric, son aîné, à qui revenait de conduire le deuil, est en fuite. Julien, son fils, hélas ! a disparu. Ni Gabrielle, née Prudhon, ni sa fille Catherine – la seule des trois qu'on ait pu empêcher d'occuper son collège – n'ont qualité pour le remplacer. Mariette montera donc dans la Mercedes ainsi que ma mère, considérée, plutôt que moi, comme le chef de file des Bretaudeau. Mamoune s'assied, en majesté, devant son volant, non sans avoir d'un tour de cou contrôlé notre installation dans les autres voitures. Suit la Peugeot de Me Langloux, le notaire de famille, qui a recueilli Arlette et mes deux garçons. Gabrielle se retrouve dans l'Alfa-Roméo de mon ami Gilles. Mais sa benjamine, fort distraite durant l'office et maintenant excitée par la banderole du CES d'Avrillé, se porte soudain à notre hauteur et décide d'envahir ma modeste Citroën, où Tio a pris place à côté de moi, tandis que sur la banquette arrière se serrent mes deux filles, jusqu'ici convenables. Impossible de protester. Le convoi s'ébranle, s'avance, aussi lentement que tout à l'heure, à travers des groupes qui, venant de La Doutre, déferlent vers le centre.

– Par où diable allons-nous pouvoir passer ? souffle Tio.

Il faut sans arrêt stopper, changer de vitesse. Les rues ne sont plus que des rivières de piétons que, du haut de ses balcons, le Tout-Angers observe en battant des paupières. Un convoi mortuaire ne peut pas utiliser de gyrophare, de sirène d'urgence ; il ne saurait avoir l'air pressé d'aller où il va. La cohue, qui s'écoule autant sur la chaussée que sur les trottoirs, est tout occupée d'elle-même, et parmi les chants, les huées, les slogans, les clameurs, nous faisons comme une trouée. Des femmes, tout de même, se signent. Une délégation de garçons bouchers, en veste rayée de bleu et tablier blanc, fait spontanément la haie ; et un peu plus loin, à l'angle de la rue Saint-Pierre, ce seront des infirmiers du centre psychiatrique de Sainte-Gemmes qui nous escorteront, bras dessus, bras dessous avec des infirmières, dont l'une va s'écrier :

– Il a choisi son jour, celui-là !

*

À ma droite, Tio, d'ordinaire si joyeux compagnon, s'est recroquevillé. Sombre comme tout vieillard qui en voit partir un autre, de quatre ans son cadet, il marmonne quelque chose. C'est vrai qu'il a choisi son jour et sa façon de mourir, le beau-père ! Qui aurait pu prévoir samedi midi qu'il serait le lundi bouclé entre quatre planches ? Je le revois glorieusement campé sur la chaise spéciale réservée à ses cent huit kilos et où s'écrasait un fessier dont l'ampleur exigeait autant d'étoffe que par-devant en réclamait la bedaine, mal contenue par un gilet à demi déboutonné. Si présent par sa masse, si discret pour le reste, il se fêtait lui-même avec appétit sous l'œil indulgent d'une Mamoune tolérant pour une fois cet écart de régime...

– Tais-toi, Catherine ! Un peu de tenue ! bougonne Tio.

Je n'ai pas entendu ce que dans mon dos a chuchoté ma nièce, toute dévouée à la fronde lycéenne et privée de manif par la mort de son grand-père, spectaculaire, mais – il faut le reconnaître – assez ridicule. C'est elle, déjà, qui s'est écriée, incrédule et comme offensée :

– Mais enfin on ne meurt pas comme ça !

Sur le même ton, exactement, qu'emploie sa sœur Aline, élève de terminale, pour juger le train-train de la tribu :

– Mais enfin on ne vit pas comme ça !

Brave Toussaint ! Il avait repris des filets de sandre à la saumuroise et du faisan glacé sauce Cointreau. Il avait repris du Chouzé en regrettant le Mouillotin de sa jeunesse. Il avait continué, dans le verre à jambe adéquat (un Mignot à l'embouchure guillochée), avec un bon vieux Quart-de-chaumes. La bouche ainsi très occupée, il avait peu parlé, se contentant de hocher la tête quand Nicolas, mon aîné, mon gaffeur, fit remarquer que « d'ordinaire on était quinze » et quand Mme Rabault, autrement dit Arlette, se mit à pérorer, sans craindre le coq à l'âne, sur le dernier horoscope de *Marie-France (Mois sans histoire, Papa, pour le Capricorne)*, sur la tenue de la succursale, sur l'indécente conduite de Josette Tource, trahie par une photo publiée à la une du *Courrier de l'Ouest* et qui nous la présente en train d'embrasser à pleine bouche un des meneurs du grand chahut qui accueillit Michelet, le ministre de la Culture, lors de l'inauguration de la nouvelle faculté de lettres.

– Allons, allons, ne gâchons pas cette journée ! répétait Mamoune.

Et mon bon gros capricorne hochait la tête de plus belle. Vraiment il n'avait jamais été plus magnifiquement lui-même : nul et patriarcal, gonflé de mangeaille et de tendresse envers les siens, petits et grands, tous nantis d'antiques serviettes de damas brodées du G Guimarch et célébrant, avec six mois de retard, ce 11 mai, Sainte-Estelle, la fête anniversaire d'un Toussaint, né le jour de la Toussaint, puisque, à la suite d'un infarctus longuement traité en clinique et surtout en raison du grand deuil observé depuis la mort des filles, la famille n'avait pu le faire à la bonne date. Bravant l'ironie à peine voilée de ses petits-enfants, Mamoune l'avait expressément voulu. Ce qui est dû est dû. Une fête comme une traite : l'une ou l'autre peuvent se reporter. Ne fallait-il pas, enfin, sortir du noir en associant un second anniversaire au premier : celui de quarante-trois ans de mariage et de bonneterie ?

Évidemment on ne pouvait pas dire que ce fût pleinement réussi. Faire nombre avec chaleur quand ça réclame moins de chaises, quand les jeunes entendent passer sous les fenêtres des solidarités plus bruyantes, c'est un peu laborieux. Gabrielle, l'abandonnée, avait peine à se contenir. Nul n'a prononcé le nom de Julien, le petit mort, ni celui de son père, le transfuge, qui étaient là tous deux l'an passé, comme Reine et Simone, émigrées qu'on ne voyait qu'à cette occasion. Lourd Philémon, Baucis vaillamment souriante, filles et bru à voix tamisée, gendre gourd, marmaille dominant l'assiette à diverses hauteurs et moins attentive aux remarques des mères qu'à celles de la grande cousine pouffant de temps à autre et pointant des regards aussi insolents que ses seins… Pour tout dire, en se forçant d'un côté, en se retenant de l'autre, on se regroupait vaille que vaille dans le maniement des cuillères sorties d'un même écrin. La crème arc-en-ciel, spécialité où flottent des émincés de fruits confits, ne soulève pas chez tous les habitués de la rue des Lices un égal enthousiasme. Mais le gâteau y fait solennellement fin de cène et se doit d'être acclamé pour ce qu'il est : un tout, rond comme la tablée qu'il recentre avant de s'offrir en tranches à la communion générale, même si personne n'a plus faim. Pour cette fois et en souvenir de ses lointaines fiançailles, Mamoune nous offrait un *poirier*, d'un diamètre insolite et nappé de gelée de groseille où s'enfonçaient soixante-douze bougies miniatures du type cher aux petites mains qui garnissent les sapins de Noël. Quand ce monument parut, hérissé d'une couronne de vacillantes flammes et poussé sur la roulante vers le héros du jour, les applaudissements ne furent pas mous et le chœur des anges, mi-doucets, mi-narquois, ne fut pas long à crier :

– Souffle, Pépé, souffle !

Crut-il, notre Toussaint, qu'on mettait en doute ses capacités pulmonaires et voulut-il prouver qu'il avait au moins conservé du coffre ? Nous le vîmes gonfler, gonfler, engloutir l'air de la pièce et soudain, Éole aux joues maillées de couperose, lâcher dans un grand *han* qui ramona ses bronches un typhon si efficace qu'en une seconde il n'y eut plus devant lui qu'une forêt de mèches noires exhalant de minces fils de fumée. Apparemment étonné de sa performance et ne semblant pas entendre nos vivats, vidé, réduit de volume, il resta durant quelques secondes immobile, l'œil fixe, la bouche ouverte… Puis, de la chaise renforcée, sa masse se porta en avant, bascula et, sans nous laisser le temps de comprendre que, foudroyé, il venait de rendre un formidable dernier soupir, il pointa du nez, il s'enfonça dans le gâteau…

*

– Mourir dans la gelée de groseille, si j'ose dire, quelle déconfiture ! Mais dans un sens…

Il y songeait en même temps que moi, Tio. Il feint d'en plaisanter en lâchant ce pauvre jeu de mots. Pourtant, c'est vrai : dans un sens, avec le beau-père, ce sont les illusions feutrées de toute une époque qui s'en vont. Tio, maintenant, toupille sur son siège. Officier pauvre, mais tout de même colonel, il regarde avec étonnement. Le drapeau rouge, passe encore, ce n'est pas nouveau ! Mais le drapeau noir, à Angers, ville blanche, ville douce, tout au plus aigre-douce, il y a de quoi lui friper la paupière, même si la hampe est brandie par une fille charmante qu'on verrait aussi bien lors de la Fête-Dieu hisser la bannière de la Vierge.

Nous progressons pourtant. Nous avons remonté la rue, mètre par mètre. Nous atteignons l'obstacle majeur : le boulevard Foch, où s'en donnent à cœur joie les processionnaires. Ça défile, ça défile : les ardoisiers de Trélazé, suivis de l'école de couverture, le CMF de Bouchemaine, les Arts et Métiers, les techniciens de Bull responsables du Gamma-600, les ouvriers d'Outelec constructeurs des cabines téléphoniques (si souvent sabotées par leurs propres enfants), les ouvrières de la manufacture d'allumettes, le CET féminin…

– Chevrollier ! crie Catherine.

C'est son lycée : celui de la Zup sud. Au-dessus de sa banderole se dresse un balai de genêt, non pas sec, mais en fleur : élégante façon d'exprimer les vœux de la jeunesse en ce pays Plantagenêt. Je me demande si je ne devrais pas descendre de voiture, comme l'ordonnateur qui parlemente, essaie d'obtenir le passage. Mais à ce moment même, profitant du léger intervalle qui sépare deux groupes, le fourgon s'engage sur le boulevard, bloquant tout.

– Martine ! Aline ! piaule cette fois Catherine.

C'est la confusion. Ses deux sœurs qui occupent Chevrollier, qui ne sont pas rentrées depuis trois jours, qui ignorent sans doute la mort de leur grand-père, font partie du cortège conduit par trois professeurs. De la Mercedes, de l'Alfa-Roméo fusent les objurgations à l'adresse de Catherine :

– Préviens-les ! Ramène-les !

Imprudente proposition ! Gabrielle a déjà eu bien du mal à empêcher la petite de rejoindre sa classe : c'est lui en fournir l'occasion. La portière claque. Catherine a sauté. Elle galope vers la barrière mouvante de lycéens d'où monte soudain, mêlé d'éclats de rire et de coups de sifflet, un couplet qui se rabâche ici comme à Paris :

Papa, tu dors !
Le moulin, le moulin tourne vite…

Cependant le fourgon, talonnant le CMT et talonné par nous, conquiert un peu de terrain et, ses couronnes au vent, s'insère dans le flux. Pas d'hésitation possible : il faut suivre ou le piège risque de se refermer pour longtemps. Comme Gilles, comme Mamoune le font sûrement, j'interroge le rétroviseur. C'est clair : Catherine a peut-être averti ses sœurs, mais elle a été aussitôt annexée, incorporée au coude à coude.

– Inutile d'insister, dit Tio. Tes nièces préfèrent assister à l'enterrement de la Société.

Le voudraient-elles maintenant qu'elles ne pourraient nous rejoindre. Insensiblement entraînés, de petits coups d'accélérateur en petits coups de frein, nous sommes passés devant l'hôtel d'Anjou, puis devant la mairie où flotte du tricolore, protégé par des rangées d'uniformes, et là, klaxonnant sans pudeur, le fourgon a réussi à virer, à s'engager, lui et sa suite, le long du Mail. Je peux une dernière fois donner un coup d'œil derrière moi. À la fourche des arbres sont juchés des curieux. Un petit vent sec en agite les feuilles, comme les drapeaux divers. Des flashs crépitent. Le balai fleuri oscille, et, se sachant photographiés, les lycéens marquent le pas en chantant de plus belle :

Papa, tu dors !
Le moulin, le moulin tourne vite.
Papa, tu dors !
L'avenir pour toi va trop fort...

Embrayons enfin la seconde, puis la troisième. Il ne nous reste plus qu'à gagner la rue La Révellière-Lépeaux, illustrant la mémoire de ce membre oublié du Directoire éliminé le 30 prairial par le Corse : bordée de marbriers, fleurie de cinéraires, c'est elle qui nous conduit au cimetière de l'Est et plus spécialement à la section IV, carré B, au caveau huit places de granit miroir, gravé d'or, occupé par trois générations de Guimarch, immigrants bretons naturalisés angevins depuis un siècle, parmi lesquels notre Toussaint, oui, va dormir tout à fait.

Minuit moins dix. Tout le monde a les yeux fermés, y compris Mariette, grâce aux deux cachets avalés après la discussion que nous avons eue. Insomniaque volontaire, j'ai comme d'habitude longuement ruminé ma plaidoirie du lendemain, dans l'obscurité qu'anime, sans tic-tac, la fluorescence du réveil *made in Taiwan*. Les chiffres ont défilé, calibrant le laïus. Évidemment, Me Bretaudeau une fois satisfait, son double, le père-époux, bourrelé d'autres soucis, a pris le relais.

Étrange journée, en soi très familiale ! Je veux dire : partagée entre le touchant, le morose, le risible et le cupide. Passons sur la fin des obsèques, sur le coup de goupillon traçant une croix d'air dans un décor où, de tous côtés, ce signe est pétrifié. Passons sur la phobie que j'ai des cimetières, ces villes inverses habitées par-dessous, spécialisées dans l'étouffe-drame et le retour au minéral. On se forcera, on l'y refêtera, Toussaint, plus chez lui que les autres, au temps des chrysanthèmes.

Passons sur le retour, aussi lent, du cortège, d'où s'échappèrent discrètement ma mère, qui occupe un étroit rez-de-chaussée rue Gain, et l'oncle Tio, qui niche tout en haut de la maison bleue de la rue d'Alsace. Nous, bien sûr, nous avons eu droit à un lugubre déjeuner où chacun n'osait ouvrir la bouche, sauf pour demander du pain. Me faisant grâce, à quatorze heures, j'excipai de mon devoir d'état pour assister à l'audience du jour tenue par un tribunal impavide malgré le concert de klaxons déchaîné sur le parking, devant le Palais, par une poignée de contre-manifestants.

Rhabillant le robin, j'ai pu goguenarder un peu dans une plaisante affaire. Mon collègue Danoret plaidait de sa voix de coq enroué une fois de plus contre moi, sans cacher son angevine satisfaction d'avoir à soutenir Doué-la-Fontaine contre Provins dans ce que le président lui-même venait d'appeler « la guerre des deux roses » : les deux roses en question étant baptisées l'une et l'autre « Cœur de Vénus » par deux rosiéristes revendiquant chacun l'appellation. Armé d'un catalogue plus ancien, donc sûr de gagner (pour Provins, hélas !) cette chicane parfumée, je souriais, laissant Danoret s'allonger un peu pour mériter au moins ses honoraires. Je souriais. Je n'étais pourtant pas sans inquiétude, dans ce prétoire où bâillaient moins de dix personnes.

Que nous réservait donc le testament ? Je me devais d'être discret sur le chapitre : ce n'était pas mon affaire, à moi, Abel Bretaudeau, d'y pointer le nez, encore qu'il y eût là une pudeur superflue, proche de l'hypocrisie, puisque la communauté, même réduite aux acquêts, tient du système des vases communicants. Après le café (dont le beau-père faisait toujours un gloria en y versant un verre de fine), je n'aurais pas bougé si les quatre dames en noir, Mamoune, Mariette, Arlette et Gabrielle, se tenant chacune sur la réserve, ne m'avaient demandé de téléphoner à Mᵉ Langloux, le notaire et cousin, troisième du nom à s'occuper des intérêts Guimarch. Or celui-ci, aperçu le matin et de nouveau ruisselant de condoléances, avait fini par avouer son embarras :

– Je passerai rue des Lices, après la fermeture de l'étude. Disons : vers dix-neuf heures. En ami, maître. En ami. Voyez-vous, je n'ai aucunement encouragé M. Guimarch à prendre des dispositions qui vont étonner sa veuve…

*

Mariette, qui me l'a souvent reproché, mais qui faute de s'entendre n'a jamais admis qu'elle ronflait, commence à nasiller. L'an passé, pour lui en fournir la preuve, il m'est arrivé de mettre en marche près de son oreiller ma sténorette de poche… et de m'endormir sans l'avoir arrêtée. Écouté le lendemain, l'enregistrement nous a fait pouffer : mon cornage, brochant sur le sien, à la vérité plus fluet, transformait en duo la rhinophonie conjugale. Dois-je le dire ? Voilà cinq ans, avant de nous accepter tout à fait, tels quels, je n'aurais pas cru que le partage d'un léger défaut physique pût devenir un lien.

Dors, ma femme. Toi, tu n'es pas en cause. Moi, si. J'ai quarante et un ans. Je suis un *génaire*. Ils criaient aussi, les jeunes : *Les génaires sont des gêneurs*, sans se douter que nous sommes surtout gênés, ces temps-ci. Je vis pour ma part une *moyenne* existence dont je n'ai lieu ni d'être glorieux ni d'être honteux, qui est ce qu'elle est, qui croyait avoir trouvé un certain équilibre, qui craint de voir remis en cause ce qu'il y a de plus difficile à préserver : l'adverbe *ensemble*. Maigre ambition, peut-être ! Pour le reste, l'échec de ma génération est assez net pour que rien ne m'étonne de ce qui se clame dans la rue. Mais qu'avait-il, lui aussi, secrètement dans la tête, le Toussaint, raillé par ses petits-enfants ?

Qu'il fût très embêté, Me Langloux, détenteur des dernières volontés d'un homme qui avait jusqu'ici toujours suivi celles de sa femme, on le conçoit : à tort ou à raison, nous pourrions croire qu'il a conseillé le défunt. Moi, je pensais, comme ses filles, que, testant sous sa dictée, Toussaint avantagerait sa veuve, ne serait-ce que pour la remercier de son impérieuse contribution à la prospérité commune. Eh bien, non ! On croit connaître un poussah qui, oui, oui, oui, n'avait que des voyelles dans la bouche et acquiesçait, acquiesçait en arrondissant les orbes concentriques de son benoît sourire. D'une tutelle acceptée sans histoire, il souffrait sous son lard : pas beaucoup, mais depuis longtemps. Il a pris une revanche posthume, en la décorant de raisonnables considérations. Le 8 avril 1968, un mois avant sa mort, donc bien après son infarctus qui semble avoir aiguisé sa réflexion, notre Toussaint, s'échappant de la boutique où l'avait enfin renvoyé son cardiologue, est venu à petits pas, seul, déposer à l'étude un nouveau testament olographe, *annulant toutes dispositions antérieures.* Il s'est soudain souvenu que son commerce, murs compris, il le tenait de son père ; que c'était un bien propre, comme du reste Les Cent Laines, succursale de L'Angevine... Après quelques formules chagrines et un lent sirotage de Martini, c'est ce que Me Langloux a commencé par nous expliquer. Étroitement assis sur sa chaise, serrant les genoux, il a préparé le terrain en lâchant des lambeaux de vérité :

– Toussaint pouvait disposer à son gré de son affaire...

Pause. Puis reprise :

– Dans la mesure où il respectait la quotité disponible...

Pause. Puis reprise :

– Qui, à partir de trois enfants, est d'un quart.

– Mais encore ? a fait Mme Guimarch, d'une voix tranquille.

Aucun doute : elle interprétait le pénible exorde de Me Langloux à l'envers ; elle était prête à s'excuser auprès de ses bons enfants de l'avantage que ne pouvait pas ne pas lui avoir réservé son bon mari. Édifié, Me Langloux ne pouvait plus que donner la parole au disparu en tirant de sa serviette quatre photocopies. Il a soufflé :

– C'est presque un testament mystique.

Le début est en effet pompeux, et en quinze lignes d'une écriture appliquée, d'un contenu bénisseur, rappelle la scène des *Adieux*, laïcisée... *N'espérant pas vous revoir, chère Marie, chers enfants, car je ne crois pas au ciel, que, malgré tant d'ennuis et de deuils, j'ai grâce à vous parfois connu sur la terre, je vous confie les uns aux autres. Je vous demande de rester unis. À une époque où la famille se rétrécit, c'est un privilège que la nôtre...*

Le brave homme ! Nous voilà tout oints de sa bonté. Mais dès ces derniers mots, le ton change :

Croyez bien que la défendre est mon seul souci. J'ai beaucoup réfléchi. Ayant peu décidé, m'estimant dépassé, j'entends du moins régler ma succession dans l'esprit d'aujourd'hui...

Mamoune lit, sourcils relevés haut. Dès la première

phrase, évidemment, elle a compris qu'il ne s'agissait plus de son texte. Elle lit, ses lèvres remuent, son nez fait le va-et-vient. *Il est temps, ma chère Marie, de prendre une retraite bien gagnée.* Avec quoi ? Ce n'est pas dit. Mais nous entrons dans le vif du sujet. Tenant compte des mérites comme des charges de ses hoirs et *dans le souci de libérer ses filles de la condition servile de ménagère*, Toussaint, par préciput, lègue L'Angevine à Mariette, *qui a quatre enfants*, et, pour équilibrer les comptes, y ajoute la moitié de la quotité disponible. *Item*, il lègue à Arlette, *qui n'a pas d'enfants*, Les Cent Laines. En ce qui concerne Éric, si coupable, mais qui a trois filles, il regrette que la loi lui interdise de passer par-dessus sa tête et l'oblige à lui laisser sa réserve : ce qui entraînera la vente de Ty Guimarch, la villa de Quiberon. Toutefois, pour aider Gabrielle, il dote directement Aline, Martine et Catherine en leur attribuant l'autre moitié de la quotité disponible, *à prendre comme les frais sur un portefeuille qui, sans être considérable, reste suffisant...*

Me Langloux n'avait plus de regard. Quittant sa photocopie, celui de Mamoune s'est d'abord concentré sur lui, puis sur Mariette, puis sur moi, sans s'occuper de la belle-sœur :

– Je vais enfin pouvoir me reposer, a-t-elle dit.

*

Mariette vient de se retourner. La lueur verte du réveil électronique cadavérise son visage qui me donnerait le frisson si la musique de son nez ne me l'assurait vivante. Combien de fois a-t-elle répété : *Arlette a bien de la chance : elle travaille, elle ! Moi, je ne fais que trimer.* Son père, qui de sa vie n'a touché une assiette ni reboutonné un gosse, s'en serait-il tardivement rendu compte ? Ou l'a-t-elle inspiré ? Je m'égare sans doute, comme Mamoune, qui porterait plutôt ses soupçons sur moi, le robin ; et c'est vrai qu'on voit mal son époux griffonner sa feuille de papier timbré, en cachette, sur une table de café ou sur le coin d'un guichet de poste. Mais à ce détail près, pour qui l'a connu, le pauvre, terrifié par toute discussion, on imagine très bien qu'il ait pour une fois fait acte d'autorité en se mettant à l'abri inviolable de sa mort ; et la rédaction même de son testament montre assez qu'il ne doit rien à un juriste. Ses bonnes intentions créeront de solides rancœurs. Arlette n'a pas d'enfants, mais elle peut en avoir qui seront punis pour n'être pas déjà nés. Les trois filles d'Éric vont pour leurs petites parts nous entraîner dans le maquis de la protection des biens de mineurs. Pas une évaluation. Pas un mot sur l'usufruit de la veuve. L'Angevine, murs compris, valant le double des Cent Laines, son attribution devra être compensée par une soulte importante. Et que dire de l'embarras de Mariette appelée à détrôner sa mère, à léser sœur et frère comme à convaincre son mari ?

Me Langloux s'en est allé pourtant sans que nul ne se soit récrié. Devant un tiers, les Guimarch sont toujours rassemblés comme une pelote d'épingles, dont la pointe ne fonctionne qu'ensuite. Le notaire disparu, ces dames, malgré les photocopies qui tremblaient encore dans leurs mains, se sont figées, les lèvres pincées, les paupières lourdes. Elles ont bougonné des choses : qu'on allait voir, qu'on réfléchirait, qu'on s'arrangerait. Bel effort gâté par des mines peu avenantes ! Seule Arlette a fini par grincer :

– Mariette, au moins, peut dire : merci, papa.

Cela pouvait allumer la chamaille. Mais, bruyante et folâtre, une galopade retentit dans l'escalier et, sans songer à la gravité de l'heure, Catherine déboula, aussitôt entourée par les Quatre qui se morfondaient parmi nous et ne firent plus avec la cousine qu'un tourbillon de peaux fraîches.

– Dans la maison d'un mort ! Vous n'avez pas honte ? glapit Arlette.

– Tante a raison : du calme !

Ce n'est pas moi qui l'ai dit. Ni Mariette. Mais la blonde et longue Martine qui entrait à son tour, flanquée de la presque rousse Aline. Celles-là ne s'amusaient pas. Elles nous regardaient du haut de leurs dix-huit et dix-sept ans. Elles revenaient nullement excitées, simplement satisfaites : mission accomplie.

– Alors toi, tu ne manques pas d'air ! Non, mais regardez-la : elle attend qu'on la félicite ! reprit Arlette que cette bonne conscience ne pouvait qu'enrager davantage.

Très sûre d'elle, comme d'habitude, Martine ne lui prêtait aucune attention. Elle s'avançait vers sa grand-mère :

– Pour Pépé, nous sommes désolés...

– Hypocrites en plus ! fit Arlette.

On évite un débat, on tombe dans un autre, faussé par ce qui a été tu du litige précédent. Faute de nous être entendus – et de pouvoir nous entendre – sur l'attitude à prendre au retour de nos « délégués lycéennes », nous étions pris de court, incapables d'éviter ces aigres, ces ridicules débats qui ce soir-là opposèrent un peu partout père et mère aux fils et filles de la maison.

– Avez-vous seulement déjeuné ? demandait Mamoune.

– Qu'ont-elles fait depuis trois jours ? Où ont-elles dormi ? gémissait Gabrielle.

– Filles et garçons mélangés, on voit d'ici ! clamait Arlette.

Martine ne daigna même pas hausser les épaules. Ni du reste le ton :

– Une occupation, ce n'est pas une partie de plaisir. Nous sommes organisés.

L'important pour elle, comme pour tous les jeunes en colère – ou réputés tels –, n'était-ce pas, à défaut de convaincre, d'être au moins pris au sérieux ? Mais, comme dit Tio, en fait de jugement, Arlette est de mouvance chouanne, suractivée par l'esprit de comptoir. Prendre au sérieux des subversifs, des convulsifs, des maniaques de la manif, jamais ! Autant ouvrir tout grands les cabanons. Elle en devenait verte tandis que, bon renfort pour elle, la porte battait encore sur un dernier arrivant : Gontran, le besogneux, le hargneux petit mari chauve, qui, l'an passé, l'a délivrée du célibat. Il rentrait du Nord par on ne sait quels moyens, bredouille, pas rasé, pestant contre les trublions saboteurs de ses commissions. On n'a pas eu besoin de lui faire un rapport :

– Ces petites connes en sont, bien sûr ?

Le couple – pourtant le moins concerné – s'est alors déchaîné : lui beuglant dans le grave, elle piaillant dans l'aigu, tous deux débitant de l'anathème, répétant des tirades cent fois entendues sur cette foutue jeunesse aux idées courtes et aux cheveux longs, pervertie par ses profs, atteinte de ce choléra mental dont vous ne pensiez pas, n'est-ce pas, qu'il parviendrait à contaminer même des Guimarch ! C'était ridicule. Au lieu de les rendre penaudes, les Ines, visiblement, ça les rendait faraudes. Réfugiée sous le portrait de Toussaint (vieille photo sur toile d'une quarantaine déjà plantureuse), Mamoune étendait en vain de pacifiques mains. Gabrielle s'en prenait au fuyard :

– Tout ça, c'est la faute de leur père !

Mariette essayait de rassembler autour d'elle nos quatre innocents Bretaudeau. Moi-même, trop neutre à mon gré, je ne sus que dire :

– Ce n'est ni l'endroit ni l'heure d'en débattre, mais un mouvement de cette ampleur, ça demande réflexion. Si les filles s'en veulent solidaires, quitte à en discuter, je préfère respecter leurs raisons.

– C'est ça, soutenez-les ! On sait qu'un avocat défend n'importe quoi, beugla Gontran.

Ne disons plus rien d'Arlette mordant de tout son dentier dans ma réputation de faux jeton et de tourne-veston. Repassée du vert au rouge, elle s'étouffait de salive. Trop est trop. Tonnant un impérieux bonsoir, qui dispensait les miens des doubles bises, j'empoignai par l'épaule mon aîné, mon cadet, tandis que Mariette entraînait les jumelles. Nous n'avons pas daigné faire attention à ce que Gontran grondait encore par-dessus la rampe de l'escalier, tandis que nous le dévalions. En bas, la rue des Lices, parsemée de tracts, était à peu près vide et dans le long crépuscule de mai ne s'étiraient plus que les cris des martinets.

*

Réfléchissons. De la cloche la plus proche, celle de Saint-Laud, tombe l'heure : un seul coup, dont la vibration se dilue dans le silence. Le grand chahut reprendra-t-il demain ou non ? S'agit-il d'une petite secousse ou d'un vrai tremblement de terre social ? En tout cas, Mariette a tout de suite compris que l'actualité, approuvant son legs, condamnait mes réticences. Pouvais-je avoir le front de reconduire le train-train plutôt que de la voir, Guimarch à part entière, secourir mon revenu aux dépens de ma fierté nourricière ? Les enfants une fois couchés, elle s'est glissée dans mon bureau pour me dire à voix basse, mais ferme :

– Bien entendu, pour la boutique, j'accepte. Tu es d'accord ?

Pour qui sait avec quel acharnement Mariette s'est dépensée, s'est exténuée, trois lustres durant, dans le « bonheur domestique », la vraie question – *pourras-tu* ? – n'était pas prononçable. Ni le mot de *retournement*. Mais quelle que soit la cause, me suis-je jamais abstenu de plaider ? Je me devais de faire au moins un bref exposé des motifs. Pour et contre. Voyons, chérie ! Ton indépendance, oui, je comprends. Un vrai travail, rémunéré, au lieu de la corvée gratuite, oui, je comprends. L'évasion hors des quatre murs, oui, je comprends. Encore que. La boutique, n'est-ce pas aussi un confinement, dans l'espace étroit de la patente et dans le temps dû à la clientèle ? La double journée, est-ce un rêve ? Déjà surchargée par les Quatre qui seront vite en manque…

– Arrête ! a jeté Mariette. Assez, mon bonhomme, j'en ai assez de la vie que je mène ; je ne vais pas rater l'occasion inespérée d'en vivre une autre. La mère à gosses pour qui elle se désosse, la bonne à papa qui trime et que la Sécu répute inactive… Fini ! Terminé ! Les mômes ? Je leur attacherai la clef de la maison autour du cou. Ils sont assez grands pour ouvrir et fermer une porte. La double journée ? Je m'en arrangerai, comme la moitié de mes amies s'en arrangent. Tout faire à la maison, aujourd'hui, quelle blague ! Laveries, snacks, pressings, à quoi ça sert ? Un couple à deux rentrées, abonné aux services, c'est non seulement plus vivable, mais plus rentable que celui du gagneur unique esclavageant sa fée toutes mains.

En fait d'exposé, le mien périclitait. Secouant ses cheveux, talonnant la moquette, l'insurgée continuait :

– Et elle te dit, ta fée souillon : je n'ai pas besoin de ton consentement, mais je veux l'avoir. Si tu me le refuses, c'est simple, je suis le mouvement, je me mets en grève. Sur le tas. Je te regarde balayer, cuisiner, faire la vaisselle, t'occuper des enfants, entre deux plaidoiries. Et bien entendu, chéri, je dors sur le canapé de la salle...

La main sur la bouche, elle riait : d'un petit rire aigre, pas gai, où grelottaient des reproches accumulés depuis cent quatre-vingts mois au-dessus de l'évier et de la planche à repasser. Je ne dirai pas qu'alors, de mes yeux, les écailles tombèrent. Son ras-le-bol domestique, je n'en ignorais rien : comme tout mari déplorant ce dont il s'accommode. Il m'apparut tout de même plus clairement que, sur l'asphalte, la contestation battait de la semelle pour défendre non pas une, non pas deux, mais trois causes distinctes capables d'émouvoir la province, qui n'est vraiment sensible qu'aux problèmes de fond. Répétitif, le premier secoue de temps à autre les hommes en bleu. Plus récent, le deuxième soulevait les 15-25 dans cette société bouchée, régie par les barbons que rallongent et multiplient les soins des morticoles. Couvant depuis un siècle, le troisième laissait poindre (disons-le en deux mots répulsifs) la remise en question du mec par la nana.

*

Mais oui, Abel. Pas moins. Et c'est une chance que sur ce dernier point nos risques soient minimes. Après tout, je n'ai jamais été le grand mâle de la tribu. Servi, certes, mais servant, j'ai toujours estimé que céder peu à peu à l'inévitable, c'était aussi s'aider. Ça cause, ça cause, les femmes, ces temps-ci. Ça se tait beaucoup, les hommes, qui laissent venir et, pas glorieux, approuvent après coup. Elle l'aura sa boutique, Mariette. À bon prix, je le crains. Elle ne devrait pas en demander davantage ; elle n'ira de toute façon pas plus loin que ne lui permet sa date de naissance ; elle est, comme moi, programmée et, au surplus, tenue par des habitudes, par une complicité ronchonne, une conjugalité du genre soudure, un sentiment durable comme un bouquet de fleurs sèches.

Ce qui me paraît plus sérieux, dans l'immédiat, c'est de faire face à ce qui nous attend : elle est voilée, elle tourne mal, la roue du tandem père-et-mère. Au début de mon mariage, voilà plus de quinze ans, je me sentais gauche et comme livré à la génération d'au-dessus. Je n'éprouvais pas la moindre peur de ce qu'allaient fabriquer nos gonades. Aujourd'hui, même en me félicitant de mes innocents, je me sens tout livré à la génération d'en dessous. La première époque de la vie parentale, celle de la puériculture, les belles-mères, les amis (es) qui « ont de l'expérience », les pédiatres la compliquent déjà d'objurgations diverses, voire perverses, et des biberons aux couches, des mains qui bercent aux dents qui percent, des larmes aux alarmes, des premiers pas aux premiers mots, des varicelles aux rhumes à répétition, des mille bises aux mille bêtises, de la maternelle au CM 2, vous connaissez les joies patientes de l'éleveur. Que dire de la seconde époque, celle de l'éducation où nous voici entrés, où, taxés non sans raison d'incompétence, nous devons passer de l'erreur à l'expérience, vite périmée par des idées qui changent aussi vite que les mœurs ? À tous ces gens béant devant les adolescents, qu'arrive-t-il donc en ce moment ? Sur les chemins étroits de leurs bonnes intentions, n'est-ce pas le résultat d'un grand essoufflement ?

Je respire encore à peu près bien. Mais elle s'achève, cette période où mes enfants n'ont fait preuve que d'une friponnerie tendre, d'une turbulence angélique. Elle s'éteint, cette assurance naïve qu'étant nôtres ils seront différents, excellents, faciles. Comptons-y ! Ce que je vois, ce que je sais de la jeune espèce la montre telle qu'avec un peu de bon sens on pouvait la prédire : franche, carrée, difficile à manier, détachée de tout ce qui lui paraît valeur-leurre, et, du fait de nos doutes érigés en système, si dépourvue d'ancrage qu'ils se réduisent pratiquement à des affections. On vous aime, les Quatre ! Mais en dépit du siècle qui en fait la seule raison des couples, le seul lien des familles, est-ce suffisant d'aimer ? L'amour ressemble à l'essence qui peut brûler pour rien ou faire tourner le moteur. Comme l'essence, il est lourdement imposé ; comme elle, impur et plombé. S'il existait un autre mot, plus simple, plus quotidien, je l'utiliserais pour parler des miens, en me méfiant au surplus de ce pluriel : *les miens*, c'est un ensemble de singuliers. Et pour chacun d'eux, je m'interroge...

*

Toi, Nicolas, l'aîné, qui le semble par nature, dont le démarrage ne date pourtant que de ta sixième, mais qui maintenant fort en gym comme en maths, en géo comme en ortho, ne détestes pas le prestige que ton mètre quarante-cinq, ta place d'avant dans l'équipe de foot des minimes, ta charge de délégué de classe t'assurent auprès des copains et des profs, tu es ma petite fierté : une fierté parfois agacée par la tienne retirée derrière ces lunettes de myope qui sont ton seul handicap. Le sérieux, le laborieux que tu es, bardé de bonnes notes, souffre d'une allergie aux conseils et, plus encore, aux critiques qui te rend difficile à gouverner. La fratrie t'admire, mais trouve souvent que tu lui pompes l'air.

Toi, Louis, qu'il ne faut plus appeler Loulou, tu me mets plus à l'aise en me satisfaisant moins. L'imperfection est ton ange gardien qui t'a voulu petit, maigre, gaucher, mais vif et tout en nerfs. Aussi secret que ton frère est direct. Aussi imprévisible qu'il est attendu. Aussi doué pour la musique et le dessin que ton aîné l'est pour le sport. Sachant jouer les gentils autant que les hargneux. Flemmard. Désordre. Capable d'élever une souris blanche, puis de la donner au chat. Capable de faire traverser la rue à une vieille dame inconnue comme de tirer sa sonnette ou d'agrémenter les murs de sa maison de dessins bizarres vivement tracés à la craie de couleur que tu vas chiper dans le godet sous le tableau noir de ta classe. Abonné au *peut mieux faire*, tu l'es plus encore à la mention *distrait*, qui contraste avec l'extrême attention qu'à l'occasion tu portes à un caillou, à un arbre, à un oiseau, alors enveloppés du même regard fluide qu'il t'arrive de nous accorder.

Toi, Yane, dont le prénom au contraire est tenu pour une remontrance, je ne saurais te reprocher d'être une active Guimarch. Petite fille pratique, tu recouds tes boutons, laves ta culotte, fais les carreaux, prépares le pot-au-feu sans oublier de piquer de gros sel la moelle de l'os. Tu as l'œil bleu bourrache, la main très sûre dans le ménager, mais quasi paralysée par le stylo. Je ne cesse de m'étonner en entendant fuser d'entre tes dents aux arêtes translucides ce gazouillis célébrant petits prix, justes parts et rangement. Mais ce n'est pas sans raison que, pour te faire valoir, tu as choisi « la part de Marthe ». Tu compenses là un retard scolaire dont il y a eu, paraît-il, d'autres exemples chez les Guimarch, Éric notamment : retard qui a une cause précise, résumée par un mot que n'aiment pas prononcer les parents, toujours suspectés d'en être responsables.

Et toi enfin, Yvonne, jumelle, mais non sosie, très soucieuse de te démarquer de ta sœur, d'opposer tes idées-fleurs à ses idées-légumes, tu es gourmande d'histoires, de chocolat, de baisers, de babioles. Mais attention ! Poupée potelée, ciselée, emmêlée dans tes cheveux, tu as, ma douce, ma *caillerote*, parfois des mots, des ongles et des rires aigus. Tu ne ressembles à personne qu'on ait pu me citer rue des Lices. Gosseline, tu retenais tous les contes, tu les mélangeais, tu inventais des variantes. Animiste en diable, tu rangeais les tables parmi les quadrupèdes ; tu trouvais normal, puisqu'il vit au ciel, que le Saint-Esprit soit une colombe ; et que les morts ressuscitent, tu n'en doutais pas, puisque les tulipes, on les enterre et qu'elles refleurissent tous les ans. Comme moi, à ton âge, tu crains le noir, les vers de terre, les araignées, les épingles de nourrice ouvertes et nous avons encore en commun, dans l'émotion, un léger tremblement de la lèvre…

Mais là, vite, jurons que je ne préfère personne ou plutôt que je vous préfère tous, à tour de rôle, comme après quelque sottise je vous déteste de tout cœur.

Une heure et demie ! Vos quatre sommeils creusent quatre oreillers dans ces deux chambres aux lits superposés, aux dossiers de chaise chargés de jeans étroits et, à la longueur près, identiques. Répétons : à la longueur près. Tout est là. Le Dacron délavable à surpiqûres contrastées, à poches à rivets réclame du 126 pour les jumelles, du 136 pour Louis, du 150 pour Nicolas. Votre père, dont l'oncle Tio estime qu'il est « fait pour » cette lente, mais non plate aventure de la paternité, qu'il en a les qualités banales, mais soutenues, n'est pas si optimiste ! Il connaît ses insuffisances. Il n'est toutefois pas de ceux qui croient devoir s'excuser d'avoir donné la vie. Il penserait plutôt qu'il a ainsi remboursé la sienne et, si l'irrite encore le fait que rien dans son équipement de mâle et de juriste ne le préparait à jouer les éleveurs, il en jouit en fin de compte plus qu'il ne s'en tracasse. Une heure trente-cinq ! Je plonge et, sous des paupières closes, vaguement, je songe : nous avons encore un peu de temps, le jean contestataire exige au moins du 160.

La semaine s'étire. Tournent les moulins à paroles : mieux que les rotatives. On sait, on dit, on croit, on pense des choses qui de bouche à oreille et de radio en télé assurent un grand bruit de fond à l'événement, encore mal dégagé de la péripétie. De toute façon, la chronique privée se tient très en deçà de la publique. Mamoune comme Mariette semblent n'en retenir que les petits effets, les gênes, les coupures de courant, le manque de courrier et d'autobus, la hausse des fruits et légumes.

L'histoire locale ne sera pas tragique. Si le campus s'agite, si les manifs se succèdent, donnant lieu à ces dénombrements qu'enflent les syndicats et rétrécit la préfecture, pas de barricades, ici, pas de voitures brûlées, pas de grenades lacrymogènes. Gauche et droite ont déploré la victoire de Bordeaux sur Angers : par un faible 2-1, d'ailleurs. Gauche et droite ont célébré l'ouverture du musée Lurçat, chacun interprétant à sa façon *Le Chant du monde*, exposé dans l'ancien hôpital Saint-Jean. Gauche et droite avaient des malades dans le train de Lourdes qui est, miraculeusement, arrivé à bon port. La gare est occupée, en effet : on y lance le palet sur les quais, tandis que, sur la ZI d'Écouflant, les gens de Rapidex jouent au foot contre ceux de Cibié et qu'il y a bal à Cégédur. La Maine coule ! Et c'est par une juteuse évocation des vergers ligériens que notre Hervette de la CGT et notre Monnier de la CFDT ont averti les patrons :

– Nous ne nous contenterons pas de queues de poire !

Rue des Lices couve également un calme désaccord. Mamoune a rouvert L'Angevine, où compatissent à ses malheurs des clientes tâtant vigogne et cachemire, laines douces dont les prix ne le sont pas. Elle a conseillé à Mariette de faire des provisions et de retirer de l'argent de la banque qui pourrait fermer. Devant Arlette, qu'après une courte bouderie elle venait de relancer, elle n'a pas craint d'allonger chrétiennement un billet au petit vicaire quêtant pour les grévistes. Elle a rencontré Gabrielle. Elle a pu joindre Éric. Bref, tous les prétextes lui ont semblé bons pour chapitrer séparément ses consorts et les ramener devant elle, prêts à examiner un concordat.

– Maman nous réunit demain, m'a dit Mariette le samedi soir. Je ne peux pas laisser tomber les proches.

Un proche, dans son vocabulaire, est forcément un Guimarch, et il fallait comprendre qu'on ne peut pas par son absence laisser d'autres proches devenir plus proches que vous. Cela coulait de source, et dans la seconde suivante elle s'est souvenue que nous étions invités chez Mathilde, une amie choletaise dont le mari, Ernest Gouveau, qui tenait une agence immobilière, a repris L'Aubaie, propriété héritée de son oncle et transformée en exploitation horticole que sa femme a flanquée d'un élevage de canards.

– C'est dommage, a soupiré Mariette. Mais toi, tu peux y aller avec les enfants.

Mon absence entraînant celle de Gontran, vraiment trop incommode, il était préférable que je fusse éloigné. L'Aubaie, qui dépend de Liré – le patelin chanté par Du Bellay – faisait l'affaire.

*

En route donc, ce dimanche 19, dédié à saint Yves, patron des avocats, et prêtant à la grève-fête, devenue totale, illimitée, de grandes volées de cloches. Rentré de Roumanie, Charles XI (c'est ainsi que Tio l'appelle) s'en prenait à la chienlit, et, malheureusement rentré de Saint-Florent où il s'était offert un bref congé en compagnie de l'autre (horrible détail ! elle se nomme aussi Gabrielle), Éric s'en prenait à ses sœurs : à Mariette, notamment, menacée par avocat interposé de la « réduction en valeur » prévue par les articles 866 et 924 du Code civil (que Mme Bretaudeau s'est évidemment fait expliquer par Me Bretaudeau).

Il faisait beau. Et chaud. Accablé de recommandations par une mère qui redoute en moi un possible chauffard, j'ai accompli les rites : enclencher le verrouillage qui interdit d'ouvrir les portes de l'intérieur, abaisser le pare-soleil au dos duquel est collé un rétroviseur permettant de surveiller la marmaille sans me retourner, vérifier s'il n'y a rien sur la plage arrière qui puisse se transformer en projectile, jurer que je respecterai les arrêts pour, interdirai les disputes, ne placerai à mon côté que Nicolas, le seul qui ait plus de dix ans.

Ne tenant aucun compte des considérations inverses des garçons pour qui un compteur de vitesse se déshonore quand l'aiguille n'y marque que la moitié de son possible, nous sommes arrivés intacts chez Mathilde. Nous avons aperçu des tunnels de plastique, des verrières bleutées, un tracteur nain et un vaste bassin d'eau sale, couvert de plumes autour de quoi se dandinaient des foules de kaki-campbell, qui, d'un bec sûr, se fouillaient le croupion. Les enfants ont joué avec Myrtille et Rose Gouveau, se sont aventurés dans un carré de choux chouans dont ils sont ressortis tous bien boueux. Et comme de juste nous avons mangé du canard sur lit de navets maison.

Comme nous repartions, Mathilde nous en a offert un autre, pour Mamoune : un mulard tout plumé, ficelé, replié dans ses pattes et son ample peau jaune piquetée de points noirs. Sur la route, des files dominicales montaient sur Angers, croisant d'autres files qui descendaient vers Nantes. Les plaques minéralogiques, en ce cas, inspirent souvent aux enfants – Yane exceptée – le jeu du mot le plus court. Négligeant les chiffres, on garnit les consonnes : le résultat, dûment épelé, doit respecter l'orthographe. Un SW a donné *swing* (seul un champion de mots croisés aurait pu trouver *swap*, synonyme de « crédit croisé »). Puis une belle étrangère, utilisant déjà le trilitère, nous a proposé un 34 CDR 18 :

– *CaDavRe*, a aussitôt jeté Louis.

– *DéCoR*, cinq dans le désordre, dit Yvonne.

– *CaDRe*, cinq dans l'ordre, fit Nicolas.

Nous arrivons aux abords du centre équestre, atteignant cet endroit où ma ville, blanc et bleu, assise en bord de Maine au pied des dix-sept tours ventrues de son château, offre à l'arrivant sa meilleure carte postale. Nicolas, qui se tortillait sur le siège avant droit, lâcha tout à trac :

– Tu sais, je veux bien être pensionnaire, si ça l'arrange, Maman.

– Pas moi ! protesta Yvonne.

– Demi, ça suffirait peut-être, concéda Louis.

Ainsi ils avaient entre eux agité la question et nous nous étions en vain fourvoyés dans le silence, contrevenant à la règle *Pas de secret, discutez de tout*. Nicolas, en veine de sociologie, écrasait :

– Tu vois, M. Bont fait les maths, Mme Bont le français. Chacun a son dehors et son dedans.

Un branlement de tête, pour approuver, m'a paru suffisant.

*

On parla d'autre chose jusqu'au but : l'appartement qui surplombe la boutique et où Mme Guimarch poussa les Quatre dans la salle devant des bols de chocolat. J'offris le mulard qui fut tâté du pouce tandis qu'on m'entraînait dans la cuisine. La vaisselle sale empilée sur l'évier disait assez que, personne n'ayant eu le temps de la faire, la discussion avait été longue et, à en juger par la mine de la belle-mère, probablement rude.

– Ils viennent de repartir, dit-elle. Sauf Mariette, qui range, en bas.

Mme Guimarch a toujours prononcé *en bas* avec la ferveur du curé qui parle d'*En Haut*. Rien de tel, cette fois. Elle continuait d'une voix fêlée :

– De ce côté-là, au moins, c'est réglé. Mais la famille éclate ! Arlette va vendre Les Cent Laines pour reprendre l'affaire d'un oncle de son mari, à Dinard. Éric a été odieux : il refuse de renouer avec sa femme et pour avoir la paix se fait muter à Rennes. Il n'y aura pas de procès : c'est tout ce que j'ai pu obtenir.

Je pouvais imaginer comment : des ors, des bons très anonymes, sans parler de la quincaille, peuvent sortir de leurs caches pour offrir des compensations. Mamoune avait dû faire le pélican. Elle l'avoua :

– Il a fallu que j'y mette du mien.

Puis elle ajouta aussitôt :

– Il faudra que Mariette désintéresse ses consorts.

Autrement dit, qu'elle hypothèque bravement L'Angevine et utilise ensuite les bénéfices de la boutique pour rembourser. Ça ne mettrait, pour longtemps, pas de beurre sur notre pain. Mais Mamoune soupirait, avec plus de raison :

– La pauvre Gab ! Elle a perdu son fils et, en fait, son mari. Je me demande comment elle va vivre.

Elle aurait dû se plaindre de son propre sort, de cette année qui a décimé les siens et ruiné son pouvoir. Mais non, elle ouvrit le frigo, elle y casa le canard entre un bataillon de yaourts et un légumier plein de petits restes, avant de souffler :

– Vous n'êtes pas chaud, Abel. Croyez-vous que je le sois ? Toussaint m'a carrément mise au rancart. Il a voulu faire cadeau à ses filles de ce bien jadis si rare pour une femme mariée : l'autonomie. Il s'est rendu compte de ce que ni vous ni moi nous ne pouvons ignorer : nous datons, Abel, nous datons beaucoup.

Massive, les bras croisés sur une vaste poitrine soulevée à chaque inspiration, elle fermait à demi son œil droit en écarquillant l'autre, et de sa bouche, plus habituée aux analyses du quotidien, ma parole ! voici que tombaient des idées :

– Je vous étonne, Abel ? Vous pensez que ce n'est plus moi qui parle ? Mais que faire quand on n'a pas le choix, sinon se laisser pousser, bouger avec ce qui bouge ? Avez-vous remarqué, Abel ? Ces jeunes qui dans la rue s'en prennent à vous, les pères, ils nous épargnent. Est-ce clair dans leur tête ? Je ne sais. Mais j'ai idée qu'ils nous croient plutôt de leur bord, nous, les femmes, qui avons aussi à revendiquer. Tout compte fait, nous nous accommodons mieux des situations nouvelles. Vous ne croyez pas ?

Petit claquement de langue sur le point d'interrogation. On peut philosopher une minute, mais il faut redescendre vers les aspects pratiques :

– Évidemment vous devrez aider Mariette en révisant sérieusement la répartition.

La répartition des tâches, si fort prêchée par les magazines, est d'importation récente chez les Guimarch où l'autorité de l'épouse, en sa forme archaïque, n'avait guère à se réclamer du féminisme. Mais ses filles se sont chargées d'instruire leur mère. Le temps est révolu où ses jugements, peu coutumiers de la notation très bien, accordaient le passable au gagneur-bricoleur convenablement payé et pas trop maladroit. Il se doit désormais d'étendre à tout le ménager l'auxiliariat, ne rognant rien du salariat, d'un mari toutes-mains. Avis ! Et encouragement :

– Je vous fais confiance : vous êtes compréhensif.

*

Allait-elle entamer mon los pour me signifier le contraire ? Invoquant l'heure, je me suis défilé. Rejoignant Mariette par l'escalier à vis, j'ai d'abord reniflé cette tenace et composite odeur de corsages que laissent les divers parfums des clientes. Une seule lampe, celle de la caisse, diffusait une lumière teintée par son abat-jour vert, et tout au fond de la boutique, au-delà des vitrines remplies de tout ce que L'Angevine peut offrir aux enfances, régnait l'horizontale raideur du rideau de fer descendu pan par pan.

– Le chiffre reste convenable, fit Mariette, qui, le nez sur les livres comptables, semblait moins chagrine que sa mère :

Elle a tout de suite ajouté :

– Nous pouvons faire mieux.

Mariette était chez elle dans *son* magasin, dont la loi lui réserve la gestion et ne met en communauté que les « fruits ».

C'était gentil d'employer le pluriel. Mais que nous puissions faire mieux, au sens large, dans l'existence, j'en étais depuis longtemps persuadé.

1970

Plus de deux ans, déjà. On pourrait croire que les événements de 68 ont eu pour nous moins d'importance que la disparition du vieux Toussaint. Sur le moment, sans doute. Mais ceci s'est mélangé peu à peu à cela. La mémoire ne fonctionne plus qu'à travers deux tamis superposés: le nôtre et celui des médias. La radio et surtout la télé se sont tellement immiscées dans notre quotidien que nos dates de référence dépendent moins de notre calendrier personnel que de ce « Journal de l'année », conglomérat de tous les autres, où se sont bousculés faits majeurs ou mineurs, peu triés, souvent surévalués, mais qui, une fois l'actualité éteinte, s'effacent ou acquièrent leur véritable importance en raison de leur *effet retard*. Qu'on puisse parler aujourd'hui des soixante-huitards du XXe comme on parle des quarante-huitards du XIXe, voilà qui les situe ! Bien plus avantageusement, j'imagine, qu'ils ne l'espéraient eux-mêmes ; et tout à fait hors de proportion avec notre premier sentiment à nous, braves pékins dont les principes et les coutumes souffraient déjà quelque relâche, mais que voici sommés d'aller plus vite, de prendre le trot, puis le galop dans cette véritable course qu'est devenue l'évolution sociale.

Disons-le bonnement: né avant la guerre, gamin sous l'Occupation, époux et père d'enfants en bas âge vers la fin des années cinquante et au début des années soixante – caractérisées par leurs fermentations, leurs libérations molles –, j'appartiens à cette première génération de transition qui vient de loin, qui a dû faire de sacrés détours, qui, du fait de ses étonnements, de ses hésitations, a paru se traîner…

La chronique de ces trente derniers mois ne m'honore pas particulièrement. Revécus en accéléré, j'y découvre cet Abel Bretaudeau pas vraiment nouveau, pas vraiment identique à lui-même, peu à peu envahi par le changement d'autrui et se laissant aller à un mélange d'émotions, de tribulations, tantôt privées, tantôt publiques : double film où se succèdent, après nos deuils, les accords syndicaux de Grenelle et ceux des Guimarch par-devant notaire ; l'envoi au Palais-Bourbon, par réaction panique, d'une majorité gaulliste très appréciée rue des Lices ; l'inscription de Mariette au registre du commerce ; le maintien de sa mère, ex-patronne devenue employée principale ; les colloques discrets et navrés des Angevines sommées par l'encyclique de renoncer à la contraception ; la mise en ménage de Martine avec Roland, un de ses camarades ; la disparition d'Aline, partie en vacances chez son autre grand-mère, celle de Cahors, et décidant d'y rester ; le suicide raté de Gabrielle, au lendemain du suicide réussi de cette malheureuse enseignante accusée d'avoir séduit un de ses élèves ; la démission du Général butant contre son référendum ; la fracture du col du fémur de Tio ; la victoire d'Eddy Merckx dans le Tour de France ; la vente des Cent Laines et le départ des Rabault pour la côte d'Émeraude ; la scarlatine d'Yvonne ; la loi qui, de paternelle, a rendu l'autorité parentale ; le vol du Concorde 001 ; la pollution des eaux de la Maine ; l'arrivée de la couleur condamnant au rebut notre poste noir et blanc ; le divorce d'Éric, prononcé le jour où le MLF déposait sous l'Arc de triomphe une gerbe à la mémoire de « la femme du soldat inconnu » ; le remariage hâtif du même Éric, qui nous en avisa, par un simple carton, trois semaines plus tard…

Énumération arbitraire ! Énumération oublieuse, mais qui rend tout de même assez bien compte de la confusion des faits parmi quoi s'est confirmée d'abord, pour la tribu, cette tendance à la dispersion, si générale, dans le contexte d'une époque où la mobilité professionnelle, l'étroitesse de la case logement comme de la case auto, le triomphe de *tous deux* sur *tous ensemble* dissocient ces grosses molécules qu'étaient les familles souches, genre Guimarch, en atomes indépendants.

– Ce que nous avons changé ! soupire parfois Mariette.

Elle l'a voulue – et plus vite que moi –, cette révision à propos de quoi d'encourageantes gazettes ont parlé de mutation. Mais le moins qu'on puisse dire est que le changement s'est ici accordé de bons délais. Le nouvel homme capable de faire tout ce que fait la nouvelle femme – et vice versa –, quel mythe ! Disons plus simplement que des maris, se souvenant d'avoir été des bidasses au service militaire et n'ayant pas – sauf contre leur superbe – tellement d'efforts à consentir pour transposer la chose au service conjugal, j'en suis ! Avec tous les manques et les regrets de macho que ça comporte. Je trouve encore normal que la cave (le vin est mâle) et la bricole (l'outil est mâle) restent de ma compétence, tandis que la couture (songez au chas de l'aiguille !) et le repassage me font arguer d'une maladresse dont je suis très satisfait.

Je fais ce que je peux. Ce n'est ni peu ni prou. Mais qui se moque du monde en braillant le slogan sommaire : *À toute ménagère son ménager* ! L'apparition des hommes dans ce qui fut encore bien davantage le domaine des femmes : le *maternage*, aujourd'hui doublé d'un certain *paternage*, n'est-elle pas plutôt la grande nouveauté ? Les bons auteurs l'affirment. Ils disent même comme Mariette :

– Voyons ! Cela va de soi.

Les bons auteurs et Mariette ne se trompent pas. Ils exagèrent seulement. Je le vois bien autour de moi. Je sais que je réussis moins facilement que ma femme à concilier deux rôles. Si je m'occupe des enfants, c'est pour les aider à faire leurs devoirs plutôt que leur toilette ; c'est pour les promener le dimanche, jouer avec eux (pas trop longtemps) plutôt que les habiller et les nourrir. Je ne pense pas assumer plus de trente pour cent de ces innombrables menues décisions que réclame l'imprévisible quotidien.

Répétons : je fais ce que je peux ; je négocie au jour le jour mon aide et ma présence ; je m'efforce d'en faire plus ; j'ai même la suffisance parfois de croire que je m'améliore.

Reste que pour moi la maison même est féminine : un giron où l'aisance d'une femme s'épanouit de pièce en pièce, alors que je m'y sens gauche, sauf dans mon bureau.

Reste que, criant à l'aide, Mariette la décrie très vite. Fée du logis elle reste, à mi-temps, et me juge :

– Voilà bien une vaisselle d'homme !

Reste que, cessant d'être boutiquière chaque soir et tout le dimanche, elle conserve tant de maternité que ses absences ont pour seul résultat de la faire désirer davantage : ce qui ne paraît pas être mon cas.

Reste qu'elle en joue sans le vouloir, qu'elle a ce pouvoir, qu'il s'exerce sur des enfants qui se sentiront toujours plus issus d'elle que de moi.

Reste que debout, assis, couchés, nous demeurons l'époux, l'épouse, nantis d'amours anciennes ; qu'un tel couple se définit par le souci de ce qu'il a pris en charge ; que par les temps qui courent, pour s'y légitimer (?), l'éleveur, s'élevant lui-même dans l'art d'élever les siens, ne doit pas compter ses joies à la mesure de ses peines ni ses mérites à celle des résultats ; que, formant des enfants *pour leur temps*, il ne saurait pas plus en refuser les normes que les accepter sans critique et sans tri ; qu'à cet effet, même s'il a lieu d'en être parfois éberlué, il n'a pas à se considérer comme antédiluvien, mais comme le fournisseur de la nouvelle main-d'œuvre nécessaire au demi-siècle suivant…

Reste que, bel à dire, cela l'est moins à vivre et que, néanmoins, tendresse en bandoulière, nous sommes modestement à l'œuvre.

Un instant parmi d'autres.

Un de ces instants qui comptent, allez savoir pourquoi ? Nous n'avons pas fait l'amour depuis au moins quinze jours.

Il est huit heures. Mariette, dans la salle de bains, se touche de parfum sous chaque aisselle, puis elle prend sa pilule. (Elle dit à l'occasion : *Quand inventera-t-on la vôtre* ? Pur caquetage. Elle n'en rêve pas. Quel contrôle aurait-elle ?) Dans la chambre des filles, il semble qu'on se dispute. Dans celle des garçons, Nicolas s'offre une longue quinte de toux, tandis que Louis souffle dans son harmonica *L'Heure de la sortie*, le tube de Sheila déjà vieux de quatre ans. Mariette esquisse un sourire, mais c'est dans la glace, en partie ternie par la vapeur du bain, que je m'en aperçois ; c'est dans la glace que, l'un près de l'autre, pour une fraction de temps immobiles, nous nous tirons le portrait.

Elle, à vingt ans de ses vingt ans, tout juste, c'est Junon deuxième âge à bon port de poitrine, à teint velouté par la houppette, à fronces de coin d'œil et de coin de lèvres. Un léger faufil blanc court dans la masse des cheveux où est si bien noyée l'oreille que, mon silence, on dirait qu'elle l'écoute avec les yeux. Oh, ce visage, frappé dans mon quotidien comme celui de la reine Élisabeth l'est sur les pièces de monnaie, c'est toujours une suite ; Dieu merci, ce n'est pas encore une fuite de ceux que j'ai connus !

Moi, dans le même état intermédiaire, plus gris, plus franchement quadragénaire, j'échappe de peu à la « surcharge pondérale » ; je ne déplore vraiment qu'un début de bajoues dont le rasoir n'arrive pas à effacer le piquetis bleuâtre. Voyez le vrai Jupin sans foudre, étonné que sa bouche puisse être à la fois un outil de travail, un théorique PC de commandement, une ventouse à baisers ! Comme le veut l'expression optimiste, voyez-le dans la force de l'âge qui doit sans doute être comprise d'une façon analogue à cette *force faible* qu'ont inventée les physiciens. Sa calvitie naissante lui élargit un front sérieux barré de convenables soucis. Il se tait, mais il est tout gonflé de son silence.

Mariette aussi, d'ailleurs. Sa bouche est pleine de mots comme un robinet fermé est plein d'eau qui ne coule pas. Mais, contrairement à ce qu'ils chantent, les psys, est-ce si nécessaire que ça coule ? Ne risque-t-on pas la fadeur ? Ou le sucré ? Sur la pudeur des couples qui ne sont pas récents, qui savent bien ce qu'ils sont, qui n'ont cessé d'être tour à tour agacés, touchés, fâchés, réconciliés, il y a beaucoup à dire ; et d'abord qu'on ne marche pas sur des œufs, qu'on ne touche pas à la fragilité des attendrissements. Il n'est même pas besoin d'éloquentes mimiques. Une légère inclinaison de tête, un regard qui s'appuie sur l'autre, ça suffit bien. Mais les grâces de ce genre sont toujours courtes. Mariette se dégage, son front se barre, elle demande à mi-voix :

– Je laisse le grand retourner au collège ?

Notons ce *je* qui décide pour nous. Le grand, évidemment, c'est Nicolas, qui a une demi-tête de plus que son frère. Voilà huit jours qu'une bronchite le retient à la chambre, il tousse encore, et n'importe quel employé en profiterait pour demander une rallonge d'arrêt de travail. Mais pour Mariette, manquer la classe, interrompre le gavage scolaire, c'est encore plus grave que de ne pas vider son assiette. Elle n'a pas attendu ma réponse et, le front fripé, enchaîne :

– Et pour la petite ? Que fait-on ?

La petite, par définition, c'est Yane, plus courte que sa jumelle. Son problème est autrement sérieux, et l'école, qui l'a laissée traîner autant que nous, par ignorance autant que par confiance dans un rattrapage toujours espéré, a fini par s'émouvoir.

– Maman est pour quinze jours à Rennes. Je suis seule au magasin, reprend Mariette. Il faudrait que…

J'ai ouvert la porte, nous sortons en même temps que les enfants et sur le palier je passe d'une joue à l'autre avant de répondre :

– Ne t'inquiète pas. J'irai chez l'orthophoniste.

Mariette m'abandonne pour régenter un peu la foire matinale où parmi les piaulements pour la conquête de la salle de bains s'entrecroisent ces demi-nus aux têtes ébouriffées, aux bras lisses, aux cuisses grêles, aux pieds garnis d'ongles d'onyx. L'odeur du dentifrice va l'emporter un moment. Puis celle du café. Puis celle du seringa du jardinet d'en face qui envahit l'entrée quand la porte s'ouvre pour laisser galoper les porteurs de cartables.

Une journée parmi d'autres : celle-ci peut-être plus chargée que d'habitude, plus morcelée.

Nous nous sommes dispersés sous un ciel bleu d'un côté, gris de l'autre, exigeant le parka. La trotte, de Saint-Laud au Palais, je la fais le plus souvent à pied : c'est la seule occasion que j'ai de me dépenser. J'avais rendez-vous chez le juge Gabellon en train d'instruire une assez vilaine affaire de mœurs : celle d'un père qui, depuis des mois, sodomisait sa fille de quinze ans presque avec bonne conscience. Comme le médecin ou le confesseur, un avocat finit par ne plus s'étonner de rien et se réjouir du secret professionnel enfouissant des horreurs dont le seul récit ferait vomir les siens. Mais j'avoue que, nommé d'office en l'occurrence, je suis resté pantois en entendant le coupable me prendre à témoin :

– Mais enfin, maître, dites-leur, ce n'est pas si grave, on peut le constater : ma fille est toujours vierge.

Je suis ensuite passé au greffe voir Chonard, son titulaire : il lui arrive d'être arrangeant et, quand j'ai d'assez bons arguments, de hâter ou de retarder une comparution en mettant le dossier au-dessus ou en dessous de la pile.

*

À onze heures, d'accord avec la directrice, je suis allé chercher Yane pour l'emmener chez l'orthophoniste,

Mlle Aline Depercourt, qui est aussi conseillère municipale. Dans son bureau, un peu salon, douillet, lumineux, fleuri, n'évoquant ni la clinique ni l'école, Mlle Depercourt, encore très brune, avantagée par un corsage plein quasi maternel, fut aussitôt prodigue de ces gestes, de ces regards, de ces phrases enveloppantes qui rendent sa profession si fréquemment féminine. Yane l'observait avec cette extrême attention qu'elle porte à tout, sauf à ce qui la décourage : l'écriture.

Moi, non sans embarras, pressé de questions, je défendais ma fille et ses parents, je faisais remarquer qu'ayant parlé tôt Yane avait un QI de 110, qu'elle n'était ni mal aimée ni mal aimante comme certains – des affreux ! – le suggèrent en ce cas-là ; qu'elle ne souffrait, selon moi, d'aucun trouble annexe en dehors de son anxiété et de son désintérêt scolaires ; qu'elle était parfaite à la maison, mais que sa lecture lente et son orthographe insensée, l'ayant déjà obligée à redoubler deux classes, rendaient probable une mesure analogue pour l'année suivante...

– Tes frères ont-ils aussi des difficultés ? fit l'orthophoniste. Je vois généralement trois garçons pour une fille.

Je lui assurai que non. Mais, continuant à ne s'adresser qu'à la petite, Mlle Depercourt l'entraîna dans un bavardage calculé sur ses rapports avec sa mère, sa sœur, ses frères, ses amies, son école... Insistance à quoi je m'attendais ! Insistance déçue ! Ce n'était pas la première fois qu'on essayait de trouver à sa dyslexie une origine psychologique, et Yane, dans ce cas, bat des paupières comme une colombe bat des ailes. Il fallait en venir au test de leximétrie, dit « test de l'alouette » : la lecture d'un texte, joliment illustré, utilisant des caractères de taille régulièrement décroissante.

Yane, épluchant la première ligne, ne s'inquiéta pas du doigt qui se posait sur le poussoir d'un chronomètre ni du stylo en train de noter les fautes ou les hésitations butant contre les mots pièges. Lorsqu'au bout de trois minutes le chrono fit en guise de stop entendre un léger carillon, Mlle Depercourt me jeta un coup d'œil sévère :

– J'aurais préféré voir cette enfant plus tôt.

Une courte dictée suivit, donnant ce que j'attendais : un gribouillis de lignes inégales, plein de diphtongues écrasées, de lettres confondues, sa pour ça, ver pour vert, au pour haut, sans parler des omissions ou des liaisons inattendues.

– Si tes parents en sont d'accord, je te prendrai deux fois par semaine durant une demi-heure, conclut l'orthophoniste. Mais dis-toi déjà que tu n'es pas plus responsable qu'un myope ne l'est de ses yeux.

Comme Yane, cette petite bonne femme de huit ans, est étonnamment réaliste, une fois dans la rue, elle a coupé court à mes encouragements :

– L'important, c'est qu'on ne me croie plus flemmarde. La rééduc, je veux bien la faire, mais je ne me vois pas aller jusqu'au bac.

*

Midi sonnait. Frères et sœur devaient déjeuner dans leurs cantines dont ils se plaignent parfois : moins du menu, d'ailleurs, que de la vitesse à laquelle ils doivent l'engloutir dans l'assourdissant tohu-bohu des réfectoires. Pas question pour Yane de mon plateau habituel au snack de la rue de la Gare. Je voulais la gâter un peu et je choisis un restaurant où Tio a ses habitudes.

Il y était, le colonel : bien ressoudé, sans canne. L'affection que je lui porte ne m'empêche pas de le trouver moins drôle que jadis et désormais plutôt concierge. Il n'était pas rasé et ce relâchement d'un vieillard jusqu'ici militairement très strict sur sa tenue m'a rappelé qu'il marchait vers l'octo. Il tapota une joue de Yane, pour lui un peu négligeable, et se lança aussitôt dans la chronique familiale, ravi de m'apprendre qu'à bout de nerfs et de ressources Gabrielle avait décidé de quitter Angers et de rejoindre sa cadette à Cahors. Et d'ajouter, mine de rien :

– Il n'y aura plus de Guimarch, ici !

Puis, après m'avoir laissé apprécier cette absence aussi insolite que le trou laissé par un monument rasé, il précisa :

– Sauf Mamoune, née Meauzet. Sauf Martine, qui finira

bien par s'appeler Practeau. Tu ne sais pas ? C'est le nom de son...

Son quoi ? Il ne trouvait pas de mot, le colonel. Généreux et gêné, il peut admettre les choses, sans les nommer. Comme Mamoune et Mariette, qui ont une bonne moitié de clientes sourcilleuses et ne condamnent pas Martine, boursière aussi bûcheuse que *Lui* (ce pronom de restriction remplaçant le prénom). Elles non plus ne l'invitent pas, ne l'évitent pas, quittes en cas de rencontre mixte à dire : « Bonjour, monsieur. » Tant de faux ménages aboutissent à un vrai.

– On attend, dit Tio. Tu as raison, je prendrai comme toi du foie de canard.

*

L'abandonnant au cognac, j'ai dû filer pour reconduire Yane à l'école et regagner mon bureau où j'avais rendez-vous avec une dame du meilleur monde, petite-fille d'un ministre de la Troisième, épouse d'un PDG fort connu sur la place. Kleptomane, elle ne vole que des portefeuilles dans les réunions mondaines et les renvoie anonymement dans une boîte de chocolats à leurs propriétaires. Soulagé du sien dans une exposition, un de nos édiles l'a prise sur le fait et a porté plainte.

– Innocente plaisanterie ! protestait le mari, venu en flanc-garde.

J'ai eu du mal à lui faire comprendre que sa femme devrait choisir entre le juge et le psychiatre.

*

Là-dessus m'est arrivé, sortant de préventive, un truand qu'un témoignage douteux et mon petit savoir-faire ont sauvé de la centrale. Honnête, ce malfrat ! Il venait me remettre un chèque convenable et sûrement pas étranger au magot bien planqué dont il va jouir paisiblement. Sur ce délicat problème des honoraires impurs, Mariette a une encourageante opinion :

– Est-ce que je demande, moi, à mes clientes, si elles ont fait les poches de leur mari ?

*

Ce bon larron parti, j'ai préparé la défense d'un autre. Puis, en vertu de la répartition, je suis passé dans les chambres des enfants, rentrés entre-temps, pour jeter un œil sur les devoirs. Enfin j'ai rejoint la cuisine.

Réception Bretaudeau ! Jamais plus d'une par mois. Les Gouveau se sont décommandés. Nous n'aurons que Gilles, Tio et les Danoret. Mariette ne rentre jamais avant sept heures. À moi donc de préparer au moins une partie du menu. Le programme est affiché sur une ardoise. Mais comme je m'y attendais, coup de sonnette : l'oncle arrive « pour m'aider ». À vrai dire il m'agace, car c'est plus fort que lui, chaque fois qu'il me voit, harnaché de mon costume anthracite, cravaté, chaussé de souliers bien cirés par moi-même, m'enfouir dans un vaste tablier à poche ventrale et cordons noués dans le dos, il pouffe… et m'apprend qu'en acceptant l'office je ressens comme lui le déguisement. Tant pis ! Il arrive, il enlève sa veste, il demande :

– Je te passe quoi ?

– Le plat à four.

Son assistance consiste à tout bousculer dans le placard pour trouver l'ustensile, mais surtout à parler d'anciens gueuletons de mess, tandis que je consulte les *Recettes faciles* (paraît-il) de Françoise Bernard pour mettre au point un rôti de chevreuil aux pommes : rôti retiré de la marinade où il se parfumait depuis trois jours et que j'installe sur le plat beurré, tapissé d'aromates et de petits légumes.

– Hé ! dit Tio. La viande a noirci.

Très peu. Parce qu'elle n'a pas été assez souvent retournée. Mettons le vilain côté en dessous. Pour la gloire, j'épluche les pommes en vrille, d'un seul tenant. J'en rate deux en songeant que ce n'est pas de l'article 1614 que je peux exciper dans l'affaire Blétier contre Arsennol : la rescision pour lésion n'a pas lieu en faveur de l'acheteur…

– Passe-moi le vide-pomme.

Tio ouvre, fouille, repousse trois tiroirs. L'engin n'est pas parmi ses frères, l'ouvre-boîtes et le décapsuleur. Opérer au couteau, adroit comme je suis, serait suicidaire. La seule solution, c'est…

– Yane ! a déjà crié Tio.

Yane dévale l'escalier, entre et, d'un regard bleu jugeant la situation, pépie :

– Il fallait regarder dans le pot à monnaie.

Elle y trouve l'objet, épépine d'autorité les reinettes, les farcit de gelée de framboise et de noisettes, met au four et passe dans la salle pour déployer la nappe :

– Bah ! fait Tio pour apaiser ma conscience. Un psy dirait que tu la valorises.

*

Sur ce Mariette est apparue, a gémi qu'elle était éreintée et s'est précipitée au premier pour tamponner les Quatre, au sous-sol pour contrôler le séchage du linge et revenir au rez-de-chaussée faire une inspection générale. Voilà deux ans j'admirais qu'elle ait pu passer si vite de serve à patronne, cumulant tâche externe et tâche interne. Aujourd'hui j'admirerais plutôt la façon dont elle a, au nom de la première, économisé du temps et de l'argent grâce aux dépenses du tout-en-boîte, du préparé, du jetable, du neuf reconduit par du neuf et jamais par du reprisé. Ce soir, hormis le chevreuil, plat d'honneur, tout sortira du congélateur. Faut-il préciser que, Mariette présente, je ne porte plus la toque :

– Tu débouches le Saint-Nicolas… Tu sors le couteau électrique… Je m'occupe du reste.

Le reste, dans sa bouche, est synonyme de beaucoup : ce que je n'ai pas pu ou pas su ou pas voulu faire.

*

Cependant, on sonne. Yane va ouvrir la porte à un grand bouquet de roses nacarat derrière quoi s'avance Gilles, le parrain de Nicolas, ex-clerc de notaire, ex-agent immobilier, désormais promoteur. Célibataire absolu qui met volontiers son pied-bot sous les tables d'amis, il amène Marceline, sa nièce, qui aussitôt rejoint la chambre des filles.

On resonne et cette fois ce sont six œillets qui n'ont pas ruiné leur porteur. Danoret dépouille son loden et sa femme cette fourrure qui a vécu sur elle (ça se voit aux coudes) au moins trois fois plus de temps que sur son premier propriétaire, le castor canadien. Suçons en bout de bouche pour les dames, dont s'agressent les parfums. Cinq en cinq virils pour les messieurs. L'envahissement, qui flue vers la salle, se trouve aussitôt compensé par la sortie de la horde qui, Marceline comprise, dégringole l'escalier, tourbillonne et s'échappe, comme prévu, pour aller fêter l'anniversaire du gamin de la maison d'en face, Hubert Leleu, fils d'un prof de chimie, chez qui ils doivent retrouver Bernadette Langloux, la fille du notaire.

Civilités, banalités. Émilie Danoret pérore, relayée par son mari. Je n'ai pas beaucoup de sympathie pour le couple. Danoret est un blanc, il a deux fils pensionnaires à Sainte-Croix du Mans, il fréquente les gens du Boulevard. Il se vante de n'avoir jamais mis un pied dans sa cuisine et sa femme l'approuve, claironnant que, l'heure de ménage se payant au Smic, ce serait du gâchis d'y condamner un homme capable de gagner le décuple. Notre manière de vivre, comparée à celle d'un tel couple, devrait l'éloigner. Au contraire. Regrettant qu'un ancêtre peureux (prétendent-ils) ait sous la Révolution supprimé l'apostrophe qui faisait des d'Anoret de nobles particuliers, persuadés par ailleurs comme un certain nombre d'autochtones que ça vous classe de résister à l'époque, de préférer l'ancien au moderne (us, idées, mœurs et meubles compris), ils viennent, en partie, pour l'affirmer. Abusés par le fait qu'Émilie et Mariette aient de sixième en philo fréquenté les mêmes profs, tandis que depuis notre commun stage nous accrochons notre toge dans le même vestiaire, nous oublions la vraie raison de nos aimables rapports. Pensons-y toujours, n'en parlons jamais. Tous deux membres du conseil de l'ordre, nous aurons besoin, lui de ma voix, moi de la sienne (qui est influente) pour être un jour peut-être honorés du bâton.

*

Ennuyons-nous donc bien, transgressons l'avertissement rituel de l'hôtesse :

– Et surtout pas d'histoires de robins !

Comment l'éviter quand le sexe opposé se fait un devoir de traiter de ses problèmes à propos de quoi j'ai le tympan paresseux ? Comme d'habitude naissent et s'étirent deux conversations parallèles permettant, tout à trac, de sauter de l'une à l'autre comme une voiture change de file. Rien à faire ! Deux sujets : la pénurie de magistrats qui amène la chancellerie à envisager de recruter parmi nous ; l'encyclique de Paul VI *Humanae vitae*.

– Un juge réclame le châtiment, un avocat l'absolution : ça me gênerait de roquer, dit Danoret.

– La pilule, avoue Émilie, je m'en veux de l'employer, mais comment faire autrement ?

Et allons-y ! Tandis que de l'apéritif nous passons aux hors-d'œuvre, Danoret recense les candidats éventuels au titre et aux émoluments – plus sûrs, bien que moins amples – de conseiller de troisième classe. Mariette à demi-voix avoue sa tranquillité ; de corps et d'esprit. Tio s'amuse à défendre ma profession qui, dépendant d'une clientèle et non d'un avancement, ne risque rien du principe de Peter. Le chevreuil aura au moins le mérite de décoincer la moue d'Émilie, que Mariette assombrit de nouveau en régurgitant les arguments d'une mère de famille aux prises avec un dominicain lors d'une récente émission télévisée, sur la deuxième chaîne :

– Rappelle-toi ! Elle lui a fait remarquer que saint Thomas

d'Aquin lui-même, Père de l'Église, estimait que l'âme ne s'incarne pas dans le fœtus avant le quarantième jour.

– Mais ça légitimerait aussi l'avortement ! s'écrie Émilie, scandalisée.

Gilles intervient. Valise bouclée, il était en partance pour la Turquie : il devait pour ses affaires se rendre à Ankara. Mais voilà, là-bas, en ce moment il y a le choléra. Heureux fléau ! Nous éviterons l'empoignade qui, ces mois-ci, rend odieux les dîners à l'approche des états généraux de la Femme. Rien de tel que les malemorts et autres calamités subies par autrui en des pays lointains pour se sentir vivre en dégustant la charlotte et passer à des propos de tout repos sur nos petits désordres de santé. J'ai un peu honte, et l'hostilité me gagne en voyant Danoret sortir son étui à cigarettes. Depuis que j'ai abandonné la pipe, pour ménager les enfants, je supporte mal la fumée des autres et je déteste ce dont j'ai longtemps été coupable : l'emboucanement d'une table.

*

Heureusement Gilles sait se lever quand il faut pour entraîner un repli général. Un peu tôt pour des invités, un peu tard pour des enfants, c'est à onze heures et demie que les rentrants ont croisé les partants. Le verrou tiré, Mariette a bougonné :

– Ce que ça m'embête de faire bonne mine aux gens quand je ne les aime pas !

Les filles papillotaient des paupières. Nicolas demandait en bâillant :

– Dis, Papa, le prof de chimie nous appelle la famille Béryllium. Pourquoi ?

– Je pense que c'est à cause des quatre électrons... Je t'expliquerai demain.

Mariette hausse les sourcils : elle a sans doute oublié la table de Mendeleïev. Nous sommes tous réunis sur la moquette usée du vestibule dans cette maison un peu étroite pour six, où les Quatre à longueur d'année tournent autour de nous. Béryllium ! Nous sommes bien, comme on dit maintenant, une famille nucléaire définie par cet élément. J'empoche le symbole ! Il va même plus loin que le prof ne l'a sans doute prévu. Le béryllium est présent, je ne l'invente pas, c'est comme ça, dans quatre pierres précieuses.

– On y va ? dit Mariette.

Son regard, dardé de biais, semble indiquer que finalement elle a compris. Montons ! Allons aider filles et garçons, saisis debout par le sommeil, à enfiler leurs pyjamas, à se couler dans leurs lits.

J'allais dire : dans leurs écrins.

Surtout pas de trémolos ! La loi du genre serait plutôt l'ironie. L'époque est passée où nous devions sans cesse avoir les yeux ouverts et un de plus derrière la tête pour éviter la chute dans l'escalier, le doigt dans la prise de courant, l'irruption dans l'armoire à pharmacie. La première enfance a fait place au si mal nommé âge de raison où nos talents ne sauraient surprendre, mais risquent d'être surpris.

Les enfants, c'est comme les années, on ne les revoit jamais, dit Céline. Évidence ! L'enfant ne revit pas son enfance dont l'échec est irréversible. Comment n'aurions-nous pas le trac ? Je me souviens de ce que disait un prof assez brutal :

– Bon père, bonne mère, ça veut dire quoi ? L'aptitude du B dans l'adjectif à se transformer en C est universelle.

Et pour cause ! La formation professionnelle, ça existe. La militaire, aussi. La civique, très peu. La parentale, pas du tout. Les deux postes les plus difficiles à tenir, chef de famille et chef d'État, ne connaissent aucune préparation. Il faut nous le répéter : nos parents tenaient des leurs, eux-mêmes héritiers de pépés mystiques, un gros paquet de croyances et de conduites. Nous pas. Résultat : faute de décalogue, plus d'éducation à l'impératif. Ne reste que le dialogue pour tenter une éducation à l'indicatif. Une éducation libre ! Enfin, libre dans la mesure où notre foyer à la fois restaurant, dortoir, infirmerie, aire de jeux, cinéma, tribunal, cours privé, pourra se moquer des règlements, des médias, des voisins, des exemples contagieux de l'époque. Et ça donne ce que ça donne : un fouillis d'essais, d'espoirs, d'attentes, d'humeurs, de déconvenues, de joies, de contradictions…

*

Faisons taire cette voix qui, en moi, prend sans cesse ma défense et, sans indulgence ni rigueur, voyons un peu. *Mes* enfants… C'est entendu : le possessif que je leur applique est à peine plus fort que dans *ma* ville ou *mon* pays. Les situations, les traits de caractère, les détails les plus intimes se retrouvent partout. C'est dans l'ordre du banal que je dois énumérer ce qui, chez eux, me frappe le plus.

Leur importance, d'abord. Elle est sans commune mesure avec celle qui nous était attribuée au même âge. Ils se comportent en conséquence. Les enfants d'aujourd'hui sont tous des infants.

Leur assurance existentielle, ensuite : le droit de chacun d'eux à la vie prime celui de tout autre.

– Je suffisais bien, dit Nicolas, qui se serait bien vu fils unique.

– Deux, c'était mieux, rétorque Louis.

– Mais c'est nous qu'on attendait… La preuve ? Après nous, plus personne ! piaillent les jumelles.

Et ce n'est pas seulement pour rire.

Leur fratrie, néanmoins. Elle peut dans les murs et hors les murs devenir un fortin contre l'aubain (et même contre moi).

Leur curiosité différentielle. Les pourquoi lancinants de la première enfance sont devenus plus précis, plus pointus, puis se sont enchevêtrés avec les comment. Mais chaque bouche a les siens.

Yane s'interroge plutôt sur l'usage des objets, Yvonne

sur les comportements. La « façon dont ça fonctionne », pour Louis, est un souci répétitif. Pour Nicolas, ce qui semble l'intéresser le plus, c'est la nature des choses : celle, par exemple, de l'invisible électricité.

Leurs histoires. Ils n'en sont plus à l'époque tendre où la vérité pour un enfant est une variante du paradoxe d'Eubulide avouant : *Je mens* ; et qui ment puisqu'il avoue être menteur ; et qui ne ment pas puisqu'il dit vrai. La vérité, jusqu'à dix ans (et il n'y a que Nicolas à avoir dépassé cet âge), reste tout de même très balancée entre le réel et le virtuel, imaginative, gouvernée par le conditionnel : *si on disait que…* Pour l'enfant, mensonge est un mot composé qui doit s'écrire *ment-songe* et dont le second terme innocente le premier.

Le même fait rapporté par Nicolas, puis Louis, par Yvonne passe du reportage à la chronique pour tomber dans le boniment.

Leurs silences. Pas plus rares et pas toujours *audibles* parmi les braillements de la radio ou les ronflements de l'aspirateur. S'en méfier. Le silence est un pansement sur la vexation, la bêtise qu'on a tue. Il a besoin du baume détenu par Mariette.

Leur exigence d'écoute. Quand je suis distrait, occupé, et qu'Yvonne me fait l'honneur d'une confidence, elle peut hurler :

– Oreille, s'il te plaît ! Oreille !

Leur rude franchise où ils ne voient pas de provocation :

– Papa, tu prends du ventre.

Leur demi-cruauté. Hubert, le fils du prof d'en face, est boiteux. Ils peuvent retenir leur pas pour lui permettre de les suivre. Mais de loin, ils l'interpellent :

– Hé, Dahu !

Leur façon de nous faire marcher. Bouche à bouderie, bouche qui n'a pas faim, bouche dentée d'insolences, bouche à baisers, c'est la même.

Leur façon de juger les gens. On ne sait jamais : tel présent leur est pesant, tel absent leur est plaisant.

Et puis leurs familiers réels – que nous sommes – ont à souffrir comparaison avec leurs familiers virtuels du petit écran, pour eux guide et guignol.

Leur immersion dans l'océan des images. C'est sûrement ce qui les différencie le plus fortement de nous pour qui l'image n'était qu'un complément, une illustration, alors qu'elle est pour eux lecture directe du monde. D'où le moindre empire de l'alphabet, de l'orthographe, de la représentation par signes. Tio résume assez bien la chose :

– Que veux-tu ? Pour nous TABLE a cinq lettres et pour eux quatre pieds.

Leur ouverture à la clé de sol. Euterpe est bien la muse numéro un du siècle, chantant par des millions de gorges artificielles.

Si le biberon l'est depuis longtemps du sein (grâce à notre vieille symbiose avec la vache), le transistor est une « prothèse à distance » de l'audition (comme la télé l'est de la vision). Saturé d'ondes, l'air n'est plus celui de jadis et s'oxygène de doubles croches. Louis s'y reprend à dix fois pour mémoriser un texte, mais il devient tourne-disque dès qu'il s'agit de chanson.

Leur égale aptitude à la gaieté, à l'ennui et à l'état intermédiaire, neutre, extrêmement fréquent, que, faute de terme retenu par l'usage, je taxerai d'indifférence à l'instant. Ils ne sont pas pauvres de joie (nuançons : Nicolas peut être jovial, Louis plutôt folichon, Yane contente et Yvonne enchantée). Ils ne cèdent pas souvent au bâillement. Mais l'état intermédiaire est ce qu'ils vivent le plus. Trop de jeux qui se jouent sans invention. Trop de loisirs organisés. Trop de calendrier scolaire ou familial. Trop d'horaire pour éviter le prétendu temps perdu : il n'en reste pas assez pour susciter le savoureux inattendu. Louis a récupéré une expression de sa grand-mère, à dire en soupirant, quand il n'arrive rien :

– Ça se débobine !

Leur allergie aux raisonnements. Où le cœur n'a pas de part, la logique pure les glace.

Leur besoin de modèles, si difficile à satisfaire. *Tel père, tel fils* devient ridicule quand le premier doit se recycler. Au surplus l'exemple, pour être exemplaire, réclame un consensus qui n'existe plus. Que me reste-t-il ? L'entraînement (muet, si possible) du *fais ce que je fais.*

Leur sexualité romantique. Si j'en juge d'après les Quatre, cette génération très avertie, très libre de propos ne connaît plus qu'un sacrement : l'amour, qui excuse tout, quels qu'en soient la forme et l'objet. Mais c'est une religion d'opérette plus qu'une naïveté et les mouchoirs avouent ce que, déjà, pratiquent les garçons.

Leurs colères. Là, ils ne réagissent plus du tout de la même façon.

Nicolas s'efforce de les rentrer. Autour de lui la pression d'air augmente. Son œil se ferme à demi, ses narines se dilatent. Plus froid et très poli, il pèse sur ses aplombs.

Louis est le plus rogneux, qui peut trépigner, se tordre les mains, passer au rouge de crête en s'enrouant comme un coquelet.

Yvonne piaule, puis s'enferme dans sa chambre. Parfois, quand elle en redescend, elle a changé de robe en même temps que d'humeur.

Yane ne gesticule et ne crie jamais. Elle pâlit et, d'un coup sec, resserre la ceinture de son jean.

Le vrai caractère de leurs jeux. Comment peut-on les réputer futiles ? Rien de plus utile. Ils le savent, les fabricants sans cesse poussés à faire du simili. Ils le savent comme nous, les pédiatres, que s'amuser est une manière de s'assumer au royaume de Lilliput.

Il ne semble pas que le conditionnement classique soit absolument artificiel et dû au fait qu'on achète des autos aux garçons et des poupées aux filles. Les jouets passent facilement d'une chambre à l'autre. Mais Yvonne et Yane joueront *autour* d'un objet, aimeront plutôt les mises en scène. Les garçons, qui se confinent moins aisément, préfèrent le mouvement *à travers* pièces et couloirs. Ils traînent, ils font rouler, ils n'oublient pas le bruitage. Yane peut se servir d'une voiture de Louis, mais ce sera sur place et en silence. Louis le fera remarquer :

– Elle ne sait pas allumer le moteur.

Leur rapport à l'argent. Attention ! Il y a l'estomac et il y a la poche : à remplir, ni trop ni trop peu. Je connais une dame qui, ayant trois enfants de 6, 8 et 10 ans, leur donne en conséquence 60, 80 et 100 francs par mois. L'indexation sur l'âge ! Moins absurde, chez beaucoup, sévit l'indexation sur les mérites, donc sur le carnet de notes confondu avec un carnet de comptes.

Nous avons opté pour l'indexation sur les besoins, en leur laissant le soin de s'acheter leurs menues fournitures. C'est un cours de gestion.

La conception, enfin, qu'ils ont de nous. Inexprimée, du moins en tant que telle, elle se laisse, à l'écoute de leurs propos, assez bien deviner. Nous sommes un homme et une femme, témoins privilégiés, mais aussi obligés de l'espèce : Adam et Ève de service, responsables de leur exil de l'Éden et de leur naissance sur une Terre avariée, quand même habitable si nous y mettons du nôtre et ne demandons pas trop qu'ils y mettent du leur (le discours d'époque, en somme). C'est Yvonne elle-même qui m'a fait remarquer qu'en termes d'affection on ne disait jamais : *mon petit chien* (animal soumis), mais couramment *mon petit chat* (animal indépendant). Il y a du chat en effet dans la façon dont nos enfants trouvent naturel d'être, par nous, flattés, soignés, nourris, mis au chaud, en échange d'une douceur griffue.

Certes, nous sommes pour eux beaucoup plus que des éleveurs. Mais nous restons tellement leur chose qu'ils en oublient volontiers que pour les faire il fallait un homme et une femme libres d'en décider. Si les enfants procèdent des parents, ils s'estiment comme un don et nous tiennent pour un dû.

Et cette idée, choquante voilà cent ans, après tout, c'est à peu près la nôtre.

Je parlais des enfants... Peut-être serait-il temps de parler de leurs parents.

Première remarque : pourquoi le sommes-nous ? L'enfant, c'est quoi, pour nous ? *Un signe*, incarnation de l'amour ? Définition romantique courante. Celle que nous aimons, pour la remplir de nous, la voilà remplie d'un tiers qui comptera plus que nous. *Un plaisir* ? C'est vrai que c'est attachant, un enfant, mais le plaisir se paie cher : en charges, en limitations de ressources et de libertés. *Un instrument*, pour faire mieux que moi ? C'est chanceux. *Une prestation* ? Je t'aime, tu m'aimeras. Mais peut-on aimer d'avance un être dont on ne sait rien ? *Un lignage* ? Nous nous rapprochons de la raison suivante. *Un devoir social* ? Je rembourse ma vie. Mais en étais-je débiteur ? À qui ? J'imagine que, plus ou moins fortes, ces motivations se mélangent en proportions variables. Mais l'essentielle n'est-elle pas l'animale, celle qui pousse les cerfs à se combattre, les saumons à remonter vers les sources pour obéir à la dictature de leurs gènes ?

Deuxième remarque : parent vient du latin *parens*, participe présent exprimant donc la permanence ; pour emploi long, c'est la titularisation des géniteurs (qui tous deux pourraient renoncer). Il en découle que je ne saurais rester neutre, que je ne puis être un observateur objectif d'enfants non isolables de leur milieu, ce placenta externe dont je fais partie. Évidence pas si simple quand je me trouve en face d'un garnement ou d'une chipie sachant jouer de mes nerfs ! J'ai du mal à me dire que, ces bougres-là, nous ne les avons pas finis et qu'à deux, cette fois, nous devons les parfaire avant de pouvoir, vers leur vie propre, les accoucher par la porte.

Troisième remarque : les conseilleurs sont parfois les payeurs et dans ce cas ce sont les meilleurs. Mais la peste soit des bénisseurs pour qui c'est si gazouillant, la nichée ! La peste soit des malfaisants qui nous réputent tyranneaux ou jocrisses ! Et la peste soit des doctes ! J'en ai connu un, penché sur un dessin de Louis alors âgé de six ans. Grave, il hochait la tête. Une voiture sans phares, voyons ! Inquiétant ! Le mot *manque* allait tomber sur le tapis, quand l'artiste survint :

– Tu dis, P'pa ? Des phares ! Tu ne sais pas que les voitures de course n'en ont pas ?

Bref, sans dédaigner quelques avis, sans oublier que grâce aux enseignants, médecins, orienteurs, assistantes sociales, grâce à la Sécu, aux alloc, à la radio, à la télé, aux journaux, aux lois et contre-lois, *le dehors envahit le dedans*, vivons entre nous ! Vivons cet état banal (puisqu'il est innombrable) autant qu'extraordinaire (puisqu'il est nôtre) qu'est celui de parents. De ce qu'il faut en dire à bouche décousue, de ce qu'il faut en apprendre par l'œil ou par l'oreille, de ce que la prudence m'enjoint de ne pas crier, de ce qu'elle m'ordonne d'avoir toujours présent à la mémoire, la liste est longue et là encore la litanie s'impose...

Pas de prétention. L'excellence, oh, là là, je n'en suis pas menacé. Mais la jouer est une vieille tentation, un rôle pas vraiment démodé. Or la seule chose que je puisse reprocher à ma mère, c'est qu'elle était parfaite. À l'abri de cette vertu, on décourage moins.

Pas de sacrifice. Les droits de l'homme-enfant priment sur les droits de l'homme-adulte, oui ! Mais mon temps, mon espace, ma liberté, mon plaisir, mes petits avantages, ça compte, ça se respecte, ça leur apprend, aux enfants, à faire respecter les leurs. Exécrons le pélican, cet horrible symbole, ce palmipède censé se crever le ventre pour nourrir ses petits et longtemps figuré au centre des chasubles !

Cela dit, bonhomme, tu auras le plus grand mal à ne pas te faire bouffer de moins noble façon : par le grignotement du quotidien.

Pas d'ordre gratuit. Cherche, trouve le commentaire explicatif. Au niveau de la consigne (pas de l'oukase), prouve ton attention, mais économise ton pouvoir.

Dosage difficile ! Pour des vétilles, Gabrielle tannait ses filles. Sa bouche était pleine de *fais ci, fais ça.* Résultat : son autorité était devenue moustique.

Pas d'incohérence. Comment exigerais-je de mes enfants ce que je ne fais pas moi-même ? On ne peut pas à la fois se dire croyant et ne jamais mettre les pieds à l'église ou à la synagogue, tout en y envoyant les gosses. Et je passe sur une menue monnaie de contradictions : jurons, gros mots, inconvenances que je me permets parfois, sans leur permettre.

Pas de prédictions. Éric à qui son père répétait sans cesse qu'il n'arriverait jamais à rien lui a donné raison.

Martine à qui sa mère reprochait ses sorties, en criant qu'elle n'était bonne qu'à se faire sauter, a filé, répondant en somme : ainsi soit-il !

Pas de comparaisons. Pour introduire la répétition, pour nier la singularité, la préposition *comme* déchaîne la mode. Jean partout ! Mais s'il se veut semblable à ses copains, il entend bien, l'enfant, être pour nous le sans-pareil.

Les comparaisons directes sont déjà ravageuses : *Louis semble plus doué que toi pour le piano* (mais il peut y avoir là une incitation). Les indirectes sont pires : *Ce qu'elle est jolie, votre petite Yvonne* ! On voit d'ici la tête de Yane.

Pas de chantage. Nous avons tous dit un jour : *Je t'aimerais mieux si tu travaillais davantage. Mea culpa*, cette bourde m'a échappé, Louis m'en fournissant trop souvent l'occasion. Comment des notes pourraient-elles accélérer ou ralentir des battements de cœur ? Le verbe aimer ne doit pas se décliner au conditionnel.

Pas de menace sans effet. Ce que Mariette a pu crier : « Si tu continues, tu vas voir ! » Moi-même, je ne m'en fais pas faute. Erreur ! C'est la politique du roquet sans dents.

Pas de scandale. Ce gros plein de soupe de la fabrique de poupées est cocu ; et la meilleure, c'est qu'il l'est par son chauffeur. Tio, qui raconte, s'esclaffe en buvant son Cointreau. Et je ris. Et Mariette rit. Les filles écoutent, sourcils froncés. Pour leur tante Gabrielle, on en a fait tout un drame.

Pas de références à nous-mêmes. La rengaine « Quand j'avais ton âge », suivie d'une évocation quelconque, est insupportable pour un jeune qui doute d'ailleurs que nous ayons pu l'être. Nous n'avons même pas intérêt à utiliser avec insistance le témoignage d'un album, surtout si sévit la chasse aux ressemblances.

– C'est toi toute crachée ! dit Mariette, un doigt sur une photo de sa sœur Reine, la disparue.

– Tu trouves ? fait Yvonne, hostile, refusant l'annexion.

Pas d'affront. C'est le devoir qui est raté et non pas Louis, qui pour autant ne mérite pas le cri : *Imbécile* ! En l'occurence, c'est plutôt moi.

Pas de louange inappropriée. Corollaire de ce qui précède. Je félicitais beaucoup Nicolas et je me suis aperçu que le satisfait s'appelait Me Bretaudeau. Nicolas se sentait moins encouragé que condamné au succès. Une fois, dans l'euphorie d'un 18, il m'a soufflé :

– Quand même, n'en demande pas plus.

J'en oublie ! J'en oublie ! La vocation vous vient, le métier vous résiste. Je ne saurai jamais tout. Que me faut-il éviter encore ?

De pontifier, sûrement, alors que je suis là pour mettre en œuvre d'humbles verbes : loger, habiller, tenir propre, nourrir, soigner, distraire, balader...

De souligner disgrâces ou travers : mon œil a le droit d'être plus sévère que ma bouche à condition qu'elle se taise.

D'oublier un de mes rôles : ni despote ni pote, je dois savoir dire non pour enrichir mes oui.

De prêcher : l'Esprit saint n'est pas descendu spécialement sur ma calvitie qui ne fut jamais ointe que par mon habituel shampooing antipelliculaire.

De manquer à la dyarchie en opposant l'avis-père à l'avis-mère, Salomon coupant les enfants en deux !

De contrer d'office ce qui me choque.

De forcer les refuges du silence (*À quoi penses-tu* ?), de la retraite en chambre, des colloques de fratrie, voire des disputes bénignes où justice n'a que faire.

D'exiger quoi que ce soit qui ait pour seul but mon confort ou ma gloire ou ma tranquillité. (Superbe à dire ! Mais mon fauteuil en saute sur ses quatre pieds !)

D'être le magistrat maison se contentant d'airs graves en laissant le soin à Mariette de pousser des aigus. Qu'un paternel courroux ni trop ni trop peu maîtrisé, ni trop ni trop peu longuet, qu'une belle rogne montre au coupable que je suis chaudement dans le coup !

Comme dans tout le reste, n'est-ce pas ? L'ensemble est si facile ! Depuis le temps que je m'habite, j'ai eu le temps d'apprécier l'écart entre programme et pratique. Ce que, moi, je me propose, le même je – qui est un autre – en dispose.

De grâce, soyons moins avantageux. Il y a trop de domaines où je n'ai jamais rien décidé. La bonne moitié de chouans, porteurs d'un cœur de Jésus cousu sur leur veste, qui ont en moi mêlé leur sang à celui d'autres ancêtres bleus doivent se retourner dans leurs fosses communes. Ils n'habitaient pas un quartier, eux, mais une paroisse, et la mienne, Saint-Laud, dont la flèche s'élance à cinquante mètres de la maison, ne verrait guère de Bretaudeau fouler ses dalles si ma mère, que l'âge rend dévote, ne passait le dimanche matin pour seconder les cloches en demandant :

– Qui m'accompagne ?

Elle entraîne Yane, quelquefois Yvonne, plus rarement sa bru. Les garçons, jamais. C'est l'heure où ils manient les boutons de la tolérante télé qui leur présente les quatre vérités : la catholique, la protestante, la juive, la musulmane, à la file, presque sans transition, comme la publicité. Tio, s'il est là, fait des comparaisons, donne dans un joyeux œcuménisme, s'écrie :

– Encore un peu et nous aurons la bouddhiste !

Fils de la vallée où on a toujours moins reniflé l'encens que dans les Mauges ou le bocage (dont les curés pourtant se raréfient), Tio ne réclame pas de suivre une émission de libres penseurs, naturelle après tout, mais insupportable aux fidèles qui ne se chamaillent plus guère entre confessions, mais ne tolèrent pas la négation. Fervent incroyant, il salue militairement les couleurs d'autrui. Que n'ai-je cette aisance !

Mais comment l'aurais-je ? Il est seul, lui, à se déterminer. Moi, je suis coincé entre des proches – et des amis et des relations – ayant chacun leur taux de pratique : nul, festif, régulier, folklorique ; et les uns comme les autres me font de gros yeux en me tenant pour responsable de l'âme de mes enfants et, dans l'option contraire, de leur libre arbitre.

Et l'Ouest reste l'Ouest ! Nous n'en sommes plus au temps du *Grand Sacre* où la rouge simarre chatoyait près du violet évêque, où tout le Palais s'avançait derrière le dais sur des rosaces de fleurs, entre deux haies d'angelots aux ailes encollées de plumes d'oie. Il ne tombe plus d'averses d'eau bénite. Mais qui, machinalement, ne fait pas encore référence à des images, à des symboles et à des termes reliques ? Qui peut se permettre de ne pas tenir compte de ce qui est devenu plus opinion que foi et, pour beaucoup, test d'appartenance à la communauté des fréquentables ?

– N'effarouche pas la clientèle, répète Mariette.

La sienne. La mienne. Vieille histoire, peu glorieuse, dont s'inquiétait déjà Mamoune ! Mais pour le Boulevard, l'abstention ne suffit pas. L'étole confirmant l'écharpe, on ne saurait naître, épouser, mourir décemment si trois actes de sacristie ne solennisaient pas trois actes d'état civil. Et c'est le moins. Si vous avez de la progéniture, elle a aussi son test : l'aube unisexe, qui a remplacé les brassards à franges des dauphins, les voiles des petites mariées du Seigneur. Attention ! Les en-âge de figurer dans la pieuse cohorte montant, sous les flashes, vers la table de communion, on les observe, on les recense, on murmure :

– Tiens ! Je ne vois pas de fils Bretaudeau.

Non, estimant qu'ils n'ont pas à faire ce que je ne fais pas, ils ont refusé tout net. Les filles, leur tour venu, accepteront sans doute : pour les cadeaux, pour le défilé, pour faire plaisir aux grand-mères. Mais dans les deux cas, moi, de quoi ai-je l'air ? M'en tenir au ni pour ni contre me met déjà hors jeu. Mais ce qui me gêne le plus, c'est que si la foi fait riche et se présente comme un vaste héritage, l'incroyance pour des enfants fait pauvre et semble n'avoir rien à transmettre.

Et sur l'école, quel est donc mon pouvoir?

Hissé sur des mollets de coq, la mèche en crête, Louis brandit de la main gauche une copie balafrée d'un trait rouge soulignant un quatre. Il la secoue, rageur et rieur à la fois. Il s'enroue:

– On était bien d'accord: ça valait neuf. Et tu vois...

Critiquer le prof dont l'élève est mon fils? Pas question, bien que la réciproque ne soit pas assurée et que les pédagos volontiers nous chicanent, se réservant de faire le plein des têtes en face de nous qui ferions le plein des cœurs. Mais cette rédaction m'intrigue. Louis me l'avait montrée en me demandant de la noter et je lui avais répondu: note-toi toi-même. Il ne s'était permis que de frôler la moyenne: ce dont j'avais été d'accord. Un quatre, vraiment, c'est mince. Mais la petite machination se dévoile. On m'explique:

– Avec la même rédac, Zouf a eu douze.

Louis est en sixième C avec Mme Bont; Zouf (surnom inexplicable de Gautier Duchemont, forte tête) est en sixième B avec M. Chaslé. Sans s'être apparemment consultés, les deux profs ont proposé le même sujet tiré de l'actualité immédiate:

Que vous inspire la mort du général de Gaulle?

Les compères en ont profité pour tendre leur piège. Ils

triomphent : de quatre à douze, l'écart est tel qu'ils ont bonne mine, les correcteurs !

Quel parti prendre ? Je sais bien que par habitude un élève faible est noté plus bas ; qu'à la trentième copie défilant sous ses lunettes, le prof se fatigue ainsi que ses chiffres ; qu'il est aussi inconsciemment sensible à l'effet de contraste, si la copie précédente est d'un crack. Zouf et Louis, avec une ruse candide, viennent de refaire l'expérience bien connue de la multicorrection : on sait qu'il faudrait quatre-vingts correcteurs de français et dix de maths (science exacte ?) pour tirer de leurs notes une moyenne indiscutable. Impossible de fournir à Louis ce genre d'explication ! Ce serait saper l'autorité de Mme Bont, corollaire de la mienne (à l'école on dirait plutôt : parallèle à la mienne). Je lâche :

– J'espère que tu ne t'en es pas vanté. Tu veux te faire prendre en grippe ?

On peut encore en imposer quand on pèse soixante-douze kilos en face de trente. Mariette survient, abonde dans mon sens. Il s'agit d'un hasard, d'une saute de mémoire, peut-être du glissement d'une feuille sur l'autre. Pas très sympa, d'ailleurs, la chausse-trape...

Louis, déçu et marmonnant des choses, descend à la cave où chaque soir il arrose une caissette d'où devraient surgir des champignons. Mariette attend deux secondes et grogne :

– Quand même, j'irai lui dire deux mots à Mme Bont.

*

Jadis pure ménagère et atteinte d'un complexe d'infériorité, aujourd'hui travailleuse à temps plein et se sentant fautive envers les Quatre, Mariette tient à montrer qu'elle ne relâche pas son intérêt scolaire. Mme Bont, qui est jeune, mal payée, surchargée, fait ce qu'elle peut, elle aussi. De toute façon, nous autres les parents, malgré les contacts directs, malgré les conseils élus sur listes concurrentes par une minorité d'électeurs, malgré les réunions avec les enseignants, nous n'arrivons guère à nous débarrasser à leur égard d'un sentiment analogue à celui que nous inspirent ces corporations incontrôlables qui s'occupent de mécanique, de plomberie, d'électricité :

– Comment veux-tu, répète volontiers Mariette, qu'on sache s'ils font bien leur boulot ? On dirait qu'ils rêvent de nous tenir à l'écart.

Excessif, mais pas faux ! C'est que, d'abord, pour nous, l'école reçoit délégation de la famille et que, pour les enseignants, elle reçoit délégation de la Société. La preuve ? C'est que l'enseignement est gratuit. Mais non, mais non, pouvons-nous rétorquer : il est noyé dans l'impôt.

Point deux, le plus délicat : l'enseignement lui-même ! Position des profs : *On les instruit, leurs gosses. Qu'ils ne se mêlent pas de ce qu'ils ne sont pas foutus de faire* ! Position des parents : nos enfants, on les recrute pour le français bourre-crâne, comme ils seront plus tard enrôlés pour le maniement d'armes. En attendant les adjudants nous devons les confier à des galonnés du diplôme qui les serineront, les orienteront comme moulins aux vents tournants de l'Instruction publique. Et ne parlons pas des rédempteurs de cancres qui voudraient, au nom du rase-pâquerettes, nous interdire toute aide pour ne pas désavantager les élèves que leurs géniteurs analphabètes ne peuvent soutenir. N'est-ce pas le grand Charles, récemment enterré, qui a dit : « La générosité, ramenant tout le monde à la médiocrité, multiplie ce qu'elle prétend éviter ? »

Soyons sérieux. La compétitivité est partout : dans le sport, l'art, l'économie, la nature, la politique. Qu'on cherche à l'atténuer à l'école primaire, bien ! Mais ça n'empêchera pas qu'elle sévisse déjà en milieu lycéen, plus encore en milieu universitaire et à son paroxysme dans la vie professionnelle. D'autre part, il faut ne pas avoir d'enfants pour prétendre que la fonction éducative des parents s'étiole à une époque où n'ont jamais été plus exigeants les soins, les échanges, le temps de présence et surtout le sentiment de responsabilité.

Aucune chance pour qu'auprès des Quatre Mariette et moi nous cessions de faire du zèle, alors que les mieux placés des parents, les pédagos eux-mêmes, ne sont pas les moins acharnés à commettre le délit d'assistance à enfant d'agrégé ! Même si la suppression des devoirs à la maison devenait effective, nous serions toujours sur le qui-vive, répétiteurs inlassables, auditeurs de leçons bien sues.

*

Pas trop, tout de même. J'aurais peine à tracer la frontière à ne pas franchir sous peine de transformer l'aide en dépendance. Louis a besoin qu'on combatte son laisser-aller. Pour Nicolas, qui se gouverne, attention à la mainmise ! Autre problème : à l'analyse des résultats se joint le souci de n'en faire ni triomphe ni drame : ce qui est si peu dans les habitudes des Guimarch que, pour un deux dans un carnet, Mariette ferait mettre tous les drapeaux de la ville en berne.

Disons qu'au jour le jour et d'une année sur l'autre, puisqu'un enfant se succède à lui-même, nous avons marché à vue. Au début j'avais tendance à marchander (dix bons points, dix francs) ou, ce qui ne vaut pas mieux, à parler (sans parlementer), à utiliser la langue de bois de lit. *Jolie moyenne ! Tu ne veux donc pas faire plaisir à ta mère* ? (On remarquera que, dans ce cas-là, *faire plaisir à ton père* est inutilisable.) Comme nos satisfactions, là-dedans, n'ont rien à voir et qu'ils le savent bien, les bougres, c'est peu à peu que nous avons essayé (on n'y arrive jamais tout à fait) de nous neutraliser. En fin de compte et sans parler de l'éducateur, dont c'est vraiment le rayon, la part de l'instructeur, chez un père, peut sembler très modeste, au-dessous de celle de la mère qui dispense plus de notions pratiques. Mais les deux, qui se confondent, valent par le seul fait qu'il ne s'agit pas de cours en jargon de chaire, mais d'un flux de remarques dans le dialecte du vivoir. Contrairement à un prof, je peux tranquillement répondre à une question :

– Ça non, je ne sais pas, je cale.

Excellent ! Surtout avec les plus grands. Voilà qui rassure mes fils, heureux d'apprendre que, livre en main, je puis n'être qu'un prompteur ; que j'y révise ce que depuis trente ans j'ai oublié, qu'au besoin je me recycle.

– Notre privilège, disait Tio quand il me tenait lieu de père, c'est d'être des illustrateurs.

Passer au concret, à l'exemple, oui, au moins pour les petites classes. Quand nous allions à Quiberon avant la vente regrettée de Ty Guimarch : « Mer à gauche, mer à droite, vous voyez, on remonte le long de la presqu'île rattachée à la France par un isthme si étroit qu'il se réduit à la route et à la voie ferrée. » L'apprentissage des chiffres a beaucoup dû au cadran du téléphone sur quoi se composait le numéro de Mamoune. Un peu plus tard, après l'abécédaire, déchiffrer la recette du gâteau d'anniversaire fut un bon exercice de lecture doublé d'un bon exercice de calcul grâce aux mesures de la recette données pour quatre personnes et qu'il fallait réévaluer pour dix. Plus tard encore Mariette, lisant une histoire, a décidé de l'interrompre au moment le plus palpitant en alléguant une tâche oubliée : nous les retrouvions, ses auditeurs, le nez sur les dernières pages épelées par les aînés.

Évidemment quand, avec les tailles, s'allonge l'échelle de traits tirés – et – datés – sur le chambranle de la salle de bains, quand se hissent plus haut ces têtes dont s'enrichit le contenu (bien que leur rapport au corps, c'est curieux, passe du quart au huitième), les petits stratagèmes doivent être abandonnés. On rêve d'une stratégie. En fait on ne peut guère mettre au point que des tactiques dont le colonel dit encore justement :

– Aucune qui ne dépende du terrain !

Pour le fertiliser, quels moyens, en effet, employer qui en même temps nous regroupent et s'avèrent aussi utiles pour Nicolas, garçon actif, ordré, bûcheur, pour Louis le nonchalant qui ne vit que de sons et de couleurs, pour Yvonne la secrète dont les volontés savent se border de dentelle, pour Yane la pratique dont sa grand-mère prédit qu'elle sera, comme elle, de ces gens dont les opinions sentent l'oignon. Treize, douze, dix, dix ! Dernière tranche de l'enfance dont Nicolas, déjà, émerge. C'est sous une autre forme qu'on réclame de nous de nouveaux compléments. Mariette, le samedi soir, réunit son monde pour un cours de cuisine et de couture, à quoi j'assiste, expliquant le mode d'emploi des robots, quand je n'embauche pas pour la bricole, les petites réparations, le retapissage d'une chambre. Bien entendu, de plus en plus, se tiennent des colloques parallèles à des débats télévisés où la voix grave cherche moins à opiner qu'à susciter les avis, volontiers discordants, des voix pointues. Je ne crois pas que nous consentirions à chanter :

Ce qu'on aime est dedans,
Ce qui compte est dehors...

Mais ne le cachons pas, grâce à tout ce qui gravite autour, la piscine, le gymnase, les loisirs de groupe, le piano de Louis, la danse des filles, le cinéma, le foot de Nicolas, les virées en compagnie des copains, les invitations de tel(le) à tel(le) dont les pères-et-mères ont souvent demandé en douce aux maîtresses bien informées qui est qui et quand et où on fera quoi, la valse des carnets de santé, des bulletins mensuels, des cahiers de textes et autres paperasseries pour mineurs, le quotidien aller et retour des porteurs de cartables, tout ça, forcément, accentue l'emprise scolaire, et Mme Bont, louée par les inspecteurs comme par le principal, peut se permettre de répondre à Mariette discutant de certaines notes :

– Mais enfin, madame, le professeur, c'est vous ou moi ?

Et la télé, n'est-ce pas une autre forme d'école sur quoi je n'ai pas beaucoup plus de prise ? une singulière école dont la fréquentation est trop enthousiaste et qui, juste au moment où, enfin, écriture et lecture se sont généralisées sur la planète, bouscule leur règne pour imposer celui du son et de l'image.

Consultant un sondage, je me demandais récemment comment peut être établie une statistique affirmant que, sur les mille quatre cent quarante minutes d'une journée, deux seraient consacrées en moyenne à la prière, cinq à la réflexion, une dizaine à l'amour, autant au sport, trente aux rapports sociaux, quatre cents au travail, sept cents à la bête (qui mange, boit, dort, se lave...) et environ trois cents aux loisirs, *dont la moitié à la télé*.

Moi, je veux bien. Mais, primo, classer la télé dans les loisirs, n'est-ce pas nier qu'elle éduque autant qu'elle divertit ? Secundo, les moyennes torturent les chiffres qui, notamment, ne sont pas les nôtres. Mariette et moi, nous travaillons bien davantage ; nous ne disposons jamais du temps que chacun est censé passer devant le petit écran. Le journal parlé du soir, un reportage, un film hebdomadaire (sans trop de fesse ou de flingue), voilà une consommation d'ORTF qui n'atteint pas l'heure.

Mais c'est tout différent pour les enfants qui, sans nous, resteraient pétrifiés devant la télé : pour eux à la fois BD animée, tribune, musée Grévin des binettes célèbres, ciné, défilé constant des horreurs comme des honneurs du monde. Contrôler leur regard comme leur faim ou leur sommeil ? Fichu problème d'une banalité exemplaire et pourtant jamais bien résolu quand huit jeunes mains peuvent tourner un bouton et quatre derrières se plomber sur une chaise aussitôt que ça marche !

– Vous m'éteignez ça !

Voilà le cri le plus fréquent de Mariette. La boîte à images est sûrement dans la maison, désormais, aussi importante qu'au centre de la circonférence peut l'être le point O. L'autorité rôde autour. Et sa mauvaise conscience ! Élevé sans télé, j'en ai moins besoin, mais je serais horrifié de me sentir hors jeu dans ce nouvel univers où triomphe la rage de voir, au plus vite, au plus loin, au plus clair. Dieu sait si Tio, Gilles, Mariette et moi et même les enfants (encore un peu mornes quand bruissent les idées générales), nous en avons discuté, disputé !

Ça livre de l'éphémère, la télé ? Oui, mais c'est à nous de l'intégrer au constant.

Ça nous fait sauter du cap Horn au Kamtchatka, de la Beauce à l'Insulinde, sans cartes, sans repères ? Oui, mais pour la géographie (et l'histoire), quelle excitation !

Ça cause, ça cause, ça parle et ça pense moins ? Oui, mais tout de même, les grands dossiers, les mouvements de compassion, la défense des droits de l'homme et de la nature – dix pour cent des programmes –, ce sont de superbes leçons d'instruction civique.

Ça fait chômer l'imagination, subir le primat du rire (le gras, le gros), de la violence, du sexe ou, au contraire, de la fleur bleue arrosée à l'eau de rose ? Ça fournit un méli-mélo d'infos passées à la moulinette, la balle de match de Borg valant dix fois la mort d'un savant, le *corazon* l'emportant toujours sur la méninge, l'affreux sur l'exemplaire, le sang sur le petit-lait du quotidien ? D'une connaissance livrée en désordre, rien n'est calibré ? Oui ! Mais à quoi bon épiloguer ? Rien ne pourra plus jamais concurrencer ce répétiteur disposant d'une attention que ne trouble jamais l'impression d'apprendre.

Bref, chez nous, sauf le frigo, aucun appareil n'était si longuement branché sur le courant. Comme ailleurs. Entre voisins, entre amis fusait la question bateau :

– Alors, qu'interdisez-vous ? Qu'autorisez-vous ?

J'en connais qui se disent « économes de l'œil des mômes ». J'en connais que la télé arrange : « Ça les fait tenir tranquilles. » Il y a les ultra-stricts : le procureur, chaque jour, pour ses filles, trie le programme. Il y a les laxistes : le quincaillier du 15 laisse la télé allumée et, qui pis est, en deux exemplaires, son fils ayant un poste pour lui seul dans sa chambre. Il admet tranquillement que le temps d'écran et le temps d'école se vaillent, que le gamin s'endorme devant.

– La boulimie hertzienne gonfle des imbéciles ! dit Tio, sommairement.

*

Nous avons réagi. Un peu tard, parce que c'est plus difficile de contrer des habitudes que de les empêcher de s'établir. Nous avons abandonné le trop élastique système des cessions d'heures, toujours étirées, pour lui préférer des règles. Un seul poste. Dans le vivoir. Pas de nez sur l'écran. Prière de s'asseoir à plus de deux mètres. Pas de film en jour scolaire. Fermeture à neuf heures, sauf dérogation (une, au plus, par semaine). La privation de télé peut être punitive. Elle peut être spontanée et fort encouragée s'il s'agit de lecture.

C'était insuffisant : à l'école, on explique. Devant la télé, on s'aperçoit vite que les ellipses d'un film – dans le temps comme dans l'espace –, les trucages, les enchaînements, les retours en arrière pour lesquels les adultes disposent de références que les enfants ne possèdent pas ont besoin d'être commentés : ce qui fait surgir deux problèmes : *il faut pouvoir* (je suis peu disponible) et comme on parle de tout, pour expliquer, *il faut savoir*.

Bien entendu, s'il n'y a rien de bien, on éteint. Mais en décider n'est pas de tout repos : je peux en entendre parler durant huit jours si les parents des copains ont été plus coulants. Même difficulté pour le choix entre plusieurs émissions. Qui décide ? La majorité ? Ou chacun, à tour de rôle ? De toute façon, il va de soi qu'en l'absence des censeurs – dont les principes sont des moteurs flottants –, on ne sait pas trop ce qui se passe. L'acharnement de Louis à resquiller un bout d'antenne me fait penser à l'époque où, derrière le dos de ma mère, je chipais en douce dans le buffet une barre de chocolat. D'ailleurs, même en notre présence, son insistance peut l'emporter :

– Qu'en penses-tu ? dit Mariette d'une voix résignée.

On ne peut pas toujours bloquer les freins. Du moment qu'ils existent, c'est l'essentiel ; et il est avec l'essentiel, aussi, des accommodements.

École publique, télé publique. Famille publique aussi, du moins en partie, puisqu'elle est reconnue par actes et par livrets : on sait bien que l'État tient à l'institution qui lui permet de localiser, recenser, imposer, utiliser son monde. J'ai toujours pensé qu'il fallait, pour ma gouverne, oublier cet aspect-là, insister en toutes occasions sur le caractère privé. S'il est vrai que nous sommes par toutes sortes de branchements – eau, gaz, électricité, téléphone, ondes – reliés au monde extérieur, il y a encore des murs, des toits, des portes, des volets pour protéger le secteur ; il y a aussi bien des façons d'honorer ses pénates.

*

Le lundi de la Pentecôte, remontant de la cave où je venais de ranger, cinq par cinq dans les casiers, des bouteilles de gros-plant, je trouve Louis en train de faire le pantin devant la glace du vestibule :

– Tu vois, fait-il en retournant vers moi sa bouille chiffonnée, là-dedans je suis droitier. Mais ça devrait aussi inverser le haut et le bas : je marcherais sur les mains.

Il vient de faire la découverte de la chiralité. Sourions. Et comprenons : il supporte mal sa gaucherie que lui rappellent sans cesse les marges de cahier, le remontoir de sa montre, la forme des ciseaux, les serrements de main.

Nous montons : moi pesamment, la semelle sur chaque marche, lui sautant de deux en deux. Mais voilà que Nicolas jaillit de la chambre des garçons. Il fulmine :

– Ne me le ramène pas ! Je viens de le fiche dehors. Avec lui, c'est le bordel.

Pauvre méticuleux obligé de loger avec un désordonné ! Sa part de chambre, qu'il a délimitée par un trait de craie sur le plancher, s'orne en vain d'idoles musclées : Pelé, Jazy, Anquetil, Bambuck... Elles ne protégeront pas son coin contre l'envahisseur qui laisse tout traîner. Mais je n'aurai pas le temps d'examiner le litige. Yane à son tour sort de sa chambre en criant :

– Registre des réclamations !

Sa cohabitation avec Yvonne est moins rude, mais les jumelles ont souvent des rapports aussi pointus que leurs coudes. Pour Yane, leur juste place est comme un contrat passé avec les choses ; pour Yvonne, il est nécessaire de varier le décor. Se chipotant sans cesse, elles peuvent à d'autres moments être parfaitement complices et chuchoter des heures entières de lit à lit.

Yane insiste :

– Registre des réclamations !

Rendre justice ? À qui ? En condamnant quoi ? Il s'agit d'un désaccord sur l'emplacement d'une lampe. Les coupables, ce sont les chambres communes où doivent se tolérer des natures différentes. Ranimons le vieux projet :

– Évidemment, si nous pouvions aménager le grenier...

Hélas ! Nous n'avons pas fini de payer ce que nous devons sur la boutique. Mais un mot vient de faire tilt :

– Registre, Registre... Tu m'intéresses. Nous n'avons pas de registre, justement. Que dirais-tu d'un livre de bord, qui serait aussi livre d'or, journal, cahier de doléances, d'idées et même de dessins ? Un fourre-tout, quoi !

*

C'est ainsi qu'est arrivé sur la console de la salle, deux jours plus tard, sous reliure de toile bise, un gros bouquin de pages blanches. Pour l'inaugurer, j'y ai tracé sans trop d'illusions :

Ce livre est ouvert pour
que personne, ici, ne se ferme.

Le soir même, les Quatre s'emparaient du fourre-tout (c'est le mot qui a prévalu) pour en couvrir la deuxième page de signatures, les leurs et celles de la douzaine d'amis qu'ils recevaient : Hubert, Zouf et sa sœur Edmée évidemment, mais aussi Herbert Meauzet, un lointain cousin, Myrtille et Rose Gouveau, Marceline Ray, la nièce de Gilles, Bernadette Langloux, la fille du notaire, Laetitia Hombourg, Jeanne et Julie Chonard, indiscernables vraies jumelles, filles du greffier, venues d'Écouflant avec leur cousine Élodie, nymphette de trois ans plus âgée. Plus hardie également, c'est elle qui a pour la première fois, je crois, essayé de faire danser Nicolas, si on peut appeler danser une série d'enjambées hésitantes, trop longues, trop courtes, trahissant la cadence sur des talons traînants.

Nous nous étions réfugiés, Mariette et moi, puis Tio et Mamoune survenus entre-temps, dans mon bureau, laissant la jeunesse se débrouiller avec le tourne-disque, les verres d'orangeade et deux guirlandes d'ampoules multicolores. Tard, après la dispersion, me penchant sur les paraphes, j'ai découvert un dessin symbolique : celui d'un canard aux pattes prises dans un filet. L'exécution laissait à désirer, mais Bretaudeau devant se lire *breteau d'eau* (de *breteau*, oiseleur, dérivé de *bret*, piège à oiseau), j'ai apprécié que les Quatre se réclament de ce qui est en somme notre totem.

1972

Les moineaux griffaient les gouttières ; une brume mauve où se délayait un peu de soleil noyait encore le clocher de Saint-Laud. J'étais en train de me raser quand le téléphone me contraignit à passer, barbouillé de mousse, dans mon bureau. Au bout du fil, Mamoune claironnait de cette voix presque oubliée, dévote et péremptoire, qui rassemblait jadis l'univers Guimarch autour de ses jupes :

– Sautez rue des Lices ! Je ne vous dis pas pourquoi : c'est une surprise.

– Quoi donc ? Laissant les enfants enfoncés dans leurs couvertures pour la grasse matinée du dimanche, nous nous sommes habillés en vitesse, plutôt inquiets. Mamoune est rarement inattendue, et sa mémoire, du genre vieil annuaire à pages déchirées, a des défaillances. À partir de soixante-dix ans, elle a cessé de se teindre et porte en somme le deuil en blanc : ce qui permet de croire qu'il s'agit de la canitie du chagrin, qu'elle est vraiment amputée de son Toussaint. À cet égard on peut se rassurer : pas de moignon visible. Mais depuis que la Sécurité sociale l'appelle *Madame veuve* Guimarch, il est clair qu'elle se sent impaire, privée de l'appui que lui apportait le rôle de soutien, donc moins motivée, plus proche de son âge et ne restant active que pour l'oublier. Bref, elle s'ennuie, elle entretient une coquetterie de la solitude, elle essaie d'apitoyer. Assise à la caisse, je l'ai entendue bougonner avec application :

– J'envie ma chaise, Abel : elle a quatre pieds comme les ménages, mais elle ne risque pas d'en perdre.

Et une autre fois pour me donner, j'imagine, un sujet de méditation :

– Quand on est deux, Abel, l'on se fatigue souvent de l'autre ; quand on est seule, on se fatigue de soi.

*

Rien de tel, ce matin. Au pied de l'escalier, nous avons déjà droit à une cantilène qui tient du guili-guili et du hosanna. Vingt marches nous en rapprochent et à l'étage la porte ouverte offre à nos regards une adoration de Noël en plein mois de mars.

Il y a là Mamoune tassée dans l'extase et dont la gorge gargouille de mots sucrés. Il y a Éric, long, raide, mais satisfait. Il y a, plus réservée, Martine, lorgnant le petit frère qui n'est pas de sa mère. Il y a celle qui l'est, dame d'âge imprécis, au sourire sec : Gabrielle II, sûrement pas fâchée de s'exhiber dans cette maison où elle ne fut point désirée avec ce qu'elle pouvait y apporter de plus désirable. Par terre, dans le moïse à brides, le transportable nouveau-né qu'on nous offre est en fait un enfant de lait en fin de premier âge, aux joues rose églantine et au blanc d'œil bleuté percé d'une pupille outremer. On s'est tu pour nous laisser contempler l'objet. Mais Mamoune n'y tient plus :

– Ils l'ont appelé Julien !

Julien II, né de Gabrielle II, remplace donc Julien I, né de Gabrielle I : ce ne sera sûrement pas la fête à Cahors. Mais pour Mamoune – qui devait être au courant, qui a dû plaider la réconciliation –, on comprend que ce soit le miracle. Un garçon ! Un Guimarch ! Pour un peu, elle y verrait la réincarnation du grand-père dans le petit-fils. Pour un peu, elle bénirait la fuite assurée d'une telle suite. Elle ne déplore qu'une chose :

– Quel dommage, mes enfants, que vous ne fassiez que passer…

Éric, dont le regard gêné oscille entre sa sœur et sa fille et revient sans cesse sur le moïse, dit qu'il regrette, mais que lui et sa femme sont attendus à Tours par les parents. Entendons : ceux de Madame qui ne connaissent pas l'enfant. Il paraît que le beau-père est brigadier de gendarmerie, très expert au lancer, très utile en cas de contravention. Gabrielle II ne dit rien. Martine ne dit rien. L'enthousiasme de Mme Guimarch douairière ne faiblit pas, elle va jusqu'à prendre le bras de Mme Guimarch jeune... Descendons ! Allons choisir de la layette au magasin.

*

La belle-sœur (comme le mot, en pareil cas, agace !) est repartie avec deux grands cartons ceints de ficelle plate tout du long imprimée A L'Angevine. Nous avons eu juste le temps d'apprendre que, née Martain, elle occupe au Crédit Lyonnais – où tous deux travaillent désormais – un poste nettement supérieur à celui d'Éric, dont il a été dit clairement qu'il n'était pas son premier mari et de façon plus voilée, allusive, qu'il y avait eu quelqu'un d'autre durant un assez long interrègne : ce qui pourrait expliquer le choix inattendu d'un simple gratte-papier plus âgé qu'elle et visiblement (cette façon de se jeter sur les paquets pour l'en débarrasser !) aussi mécanisé par la nouvelle épouse que par la précédente. Mais on ne déçoit jamais Mamoune quand on a fait du mioche.

– Celle-là a une situation et elle le tiendra mieux, a-t-elle murmuré tout de suite après le départ du fils et du précieux petit-fils.

S'est-elle seulement aperçue qu'Éric n'avait pas embrassé Mariette, que Martine n'avait pas dit trois mots à sa belle-mère ? Les temps ont changé. Sa chaleureuse naïveté ne saurait reconstituer autour d'un petit agnat la grande tribu doucereuse dont le souvenir même, aujourd'hui, peut crisper mon sourire. Quatre ans sont passés durant lesquels il était de règle d'observer, au sujet d'Éric, un cotonneux silence. Il était à peu près oublié. Un petit cousin, de toute façon, maintenant, s'il n'habite pas la même ville, devient moins important qu'un copain. Quand j'ai voulu annoncer la nouvelle rue du Temple, Yane, qui est souvent la plus rapide à saisir le récepteur, me l'a ingénument confirmé :

– Ah, bon ! a-t-elle fait.

Et comme je lui proposais de venir nous rejoindre pour déjeuner chez leur grand-mère :

– Tu sais bien que les garçons sont en pleine révision. Disposez ! Je leur bats une omelette.

Profiter de notre liberté pour aller voir *La Folie des grandeurs* au Gaumont ? Non ! Mariette – un peu plus que moi – se sentirait coupable de ne pas être présente lors de l'ardente révision que nécessite un contrôle. On pouvait avoir besoin de nous. Après le dessert, sa clef n'a pas tardé à sortir de son sac, et, une fois de retour, j'ai dû la retenir près de la porte vitrée du vivoir où se tenait un studieux colloque. Nicolas et Adrienne (une nouvelle parmi nos habitués : quarteronne surdouée dont le père guadeloupéen commande un bataillon), Hubert et Louis chuchotaient, deux par deux, sur des livres ouverts.

– Laisse-les faire ! dis-je, me forçant un peu.

C'est tantôt l'un qui retient l'autre, tantôt l'inverse. N'est-il pas de plus en plus nécessaire de nous dérober à ce qui peut être considéré comme une intempestive intervention ? Ce ramonage de mémoire, nous ne l'avions pas organisé ; l'aider en quoi que ce soit réclamait une invitation expresse.

*

J'aurais préféré d'ailleurs qu'il ait eu lieu la veille. Un dimanche se chôme : je n'aime pas qu'on y manque.

Tandis que Mariette entreprenait un rami avec ses filles, dans leur chambre, je tripotais le dossier Carnavon l'esprit ailleurs. C'est vrai, quoi ! Un temps d'élève, jusque dans la maison, reste victime de cette tronçonneuse scolaire qui le débite en heures ; il s'empile pour donner des semaines, des trimestres, des années d'une jeunesse qui vit en somme une profession : celle d'apprendre, parfois durant un quart de siècle. Un dimanche, c'est fait, au choix, pour une balade en forêt, une visite au zoo de Doué-la-Fontaine, un embarquement pour Béhuard.

– Papa, on peut monter ? cria Louis, d'en bas.

Je m'y attendais un peu. Nicolas ne demande pratiquement jamais d'assistance (en certaines matières, je serais d'ailleurs bien en peine de le seconder). Mais son frère quémande :

– Tu peux nous donner un coup de main pour les maths ?

Avec Louis entra aussi Hubert, qui n'est pas plus brillant que lui. Les maths, bien sûr ! Ces maths modernes qui déboussolent complètement Mariette, bachelière reçue à l'époque où le président Auriol régnait à l'Élysée. Ce n'est pas que je les aime, ces maths si différentes de celles qui me furent enseignées. J'apprécie peu leur tyrannie de sélection, leur boulimie de structures, leur méfiance du concret, leur façon de traiter la géométrie comme une annexe de l'algèbre et de torturer des mots d'usage courant en leur donnant des significations totalement différentes. Mais après tout, ce n'est qu'un autre système de référence. Pas terrible, l'effort à faire ! Mignonne, la vanité d'un père recyclé, resté dans le coup, capable d'aider son fils quand il y a danger pour lui de se trouver, le lundi suivant, en face de certains exercices dont quelques bons modèles pourraient le garantir !

– Tu prends le Bordas ? Là, tu vois ?

Plongeons dans la fonction affiné ! Exemples à reconnaître bons, exemples à rejeter, essais de représentation graphique.

Revoyons ensuite quelques inéquations.

Puis filons du côté des proportionnalités pour construire les sept morceaux d'un puzzle de Pythagore et retrouver, avec nostalgie, quelque chose qui s'apparente aux bons vieux problèmes de robinets : sous la forme plus sévère d'un remplissage de pluviomètre lié aux fantaisies de la météo.

Deux heures de répétition l'ayant épuisé, Me Bretaudeau, docteur en droit, pourra se réjouir de n'avoir câlé que deux fois dans des exercices de troisième.

*

Sa récompense ne sera point de reprendre à loisir l'étude de la vente de Carnavon, contestée par l'un des quatre propriétaires du cheval : celui qui, avec un huitième de part, n'en a qu'une demi-jambe.

Les filles ont rejoint leurs frères. Après l'effort, nous avons droit au concert qui, dans la salle, fait asseoir tous les jeunes, de préférence par terre, pour écouter ce que déversent les baffles. En général ça commence par des disques dont le mélange ne fait peur à personne. Adrienne a dû en apporter quelques-uns, car je ne suis pas familier du guitariste chanteur qui ouvre le feu et qui pourrait être B.B. King.

Suit, par hasard, je pense, *Le Piano sous la mer*, de Saint-Preux, et aussitôt après *Let It Be*, avec les Beatles. Un léger silence précède le choix d'une rondelle usée à force d'avoir tourné : Gillespie et ses Giants of Jazz. Puis, grâce au microsillon qui l'a ressuscité, voilà Django Reinhardt.

Pause. J'entends tomber un verre dont les éclats s'éparpillent en rires. Le Coca-Cola doit couler. Ça va repartir, mais cette fois du côté de la chanson : *Michèle, joue-moi de l'électrophone*, de Trenet, précède joyeusement le mélancolique *Me voilà seul*, d'Aznavour. Je ne reconnaîtrai pas le chanteur qui prend la relève et qu'accompagnent des battements de main, mais je saurai ce que ça veut dire : on s'excite, on accompagne. Si je descends, je trouverai sûrement Mariette embusquée derrière la porte entrebâillée de la cuisine…

Elle y est en effet et, à mon approche, met un doigt sur la bouche. Elle attend ce qui se produit une fois sur deux :

un chœur. Elle est servie. Le *Chante* ! de Bécaud démarre. Louis s'est installé au piano et c'est vraiment un curieux spectacle que de voir ce maigrelet – qui tout à l'heure ânonnait sans gloire un énoncé – se permettre de doubler Bécaud, de se retourner, la bouche ouverte, le menton battant la mesure, pour entraîner la voix muante, éraillée de Nicolas et le soprano-pruneau des filles, qui, ne sachant pas les paroles, lâchent des la la la. Mariette souffle :

– La prochaine fois, je les enregistre en douce.

Est-ce souhaitable ? Ils s'apercevraient que, sauf Louis, ils chantent faux, qu'ils ne sont pas beaucoup plus forts en solfège qu'en orthographe. Est-ce qu'un oiseau se soucie de ses notes ? Ce qui compte, c'est ce besoin qui, du fond des oreilles, leur passe au creux de la gorge. Ils ne le savent pas, mais pour eux, dans notre monde sec du chiffre et du ciment, la musique a remplacé la prière.

D'accord avec les feuillets successifs de l'éphéméride et, tout laïc qu'il soit, avec le comput de l'ordo, il y a le calendrier scolaire aux rythmes à trois amplitudes : journaliers, hebdomadaires, trimestriels.

Il y a le nôtre dont toutes les fêtes sont mobiles et le quotidien figé dans la répétition d'un banal qui nous est toutefois *particulier*. Où il ne se passe rien pour autrui, on peut parler de temps domestique, ne fournissant rien à l'almanach. Linéaire, ce temps n'existe que pour nous, et je ne saurais en rendre compte que par de petites scènes faisant des nœuds sur le fil.

*

Voici les Quatre à l'heure de la gymnastique matinale que nous faisons (pas toujours) avec eux. Arrêtons ! Respirons ! Les Quatre se gonflent de cet air où se mélangent le parfum de leur mère et l'odeur de chocolat chaud.

Mais quoi ? Comment jusqu'ici ne l'ai-je pas remarqué ? Très nettement chez les garçons, un peu moins chez les filles, ce n'est plus le ventre, ce sont les côtes qui vont et viennent, qui font soufflet.

*

Voilà ce que les enfants appellent le conseil en se référant sans doute au conseil de classe. Ce n'est qu'une parlote informelle que Tio traite de « collectif pour rire » en lui reprochant (et il n'a pas tout à fait tort) d'être faussé par les faiblesses du consultatif face à l'exécutif.

En l'occurrence, il est question de choisir la plage de nos vacances et Mariette aimerait bien qu'on retourne à Quiberon, jadis éden Guimarch.

– Non ! clament Yvonne et Yane.

Il faut être au moins deux pour contrer un projet. Comme un enfant dit toujours plus facilement non que oui, les accords peuvent être laborieux. Je propose Plougonvelin, petite plage pas chère du Finistère, où vont les Tource.

– Non ! crient les Quatre.

Ce qu'ils veulent, c'est rejoindre le Dahu à Rosas, en Espagne : ce qui coûtera le double. Je vais donc exposer l'état de nos finances (dont mes parents ne parlaient jamais). Mais je sais que je ne convaincrai personne : les alignements de six chiffres, quel que soit le débit balançant le crédit, font trop d'effet, comparés au montant de l'argent de poche.

– Tu mégotes ! dit Louis.

Et Mariette faiblit. Tant pis ! Nous ne ferons pas refaire la cuisine.

*

Au fond, il n'est pas mauvais que nos difficultés se comparent aux leurs. Les pères importants écrasent. Ceux qui ne le sont pas, comme moi, laissent respirer. Un de mes échecs, là-dessus, m'en a beaucoup appris. Je venais de rentrer du Palais, furieux d'avoir perdu un procès qui paraissait gagné d'avance. Mes doléances une fois retombées, j'ai entendu des voix, à l'étage :

– C'est la seconde fois en quinze jours ! disait Nicolas, pas triste.

– Jamais deux loupés sans trois ! ajoutait Louis.

Toute la soirée, ils ont été d'une gentillesse rare en me regardant avec une joyeuse compassion.

*

Ils ont d'ordinaire moins d'égards pour moi. Les fauteuils de la salle sont striés de coups de griffes : quand ça ne va pas, c'est sur moi qu'on imite le chat. Certes, le calme règne ; le tout-venant lycéen bouge à peine ; je n'ai pas de brailleurs maison capables de me crier comme cela se faisait voilà quatre ans : *Tu m'as donné la vie ? Merci, c'est combien* ? Tout de même, un jour où la discussion s'est envenimée à propos d'une sortie refusée, Louis m'a lancé l'apostrophe classique :

– On ne fait que ce que tu veux... Merde ! Je ne t'avais pas demandé à vivre.

J'ai pu retenir la gifle et répondre :

– Moi non plus.

Et j'ai continué à donner dans l'homéopathie en déplorant que le hasard nous impose une planète, une race, une langue, un nom, une famille et méprise le droit des gens à disposer d'eux-mêmes sous prétexte qu'avant de naître ils ne sauraient dire non puisqu'ils n'existent pas...

Louis, pourtant, n'a pas ri.

*

L'habileté ne fait pas forcément recette. La maladresse s'aggrave d'être sincère. Je n'ai pas manqué de la poser, la question :

– Que voulez-vous faire plus tard ?

– Circonstance aggravante : en face de quatre moues, j'ai insisté et comme de juste je me suis fait avoir :

– Ce que je pourrai (Yane).

– Rien, ce serait bien (Louis).

– Avocate, moi aussi (Yvonne).

– Que voudrais-tu que je fasse ? (Nicolas).

Sur quatre réponses, un doute, un refus, une décalcomanie, un renvoi au point d'interrogation. Yane seule marquait un point; Louis, pour ne pas l'être, m'inquiétait; Yvonne et Nicolas disaient en somme que ce n'était pas leur préoccupation, mais la mienne, qu'ils avaient déjà assez de mal à se dépêtrer des orienteurs et se méfiaient du définitif. Étais-je à leur âge plus avancé qu'eux? J'ai songé, avant de faire mon droit, à reprendre La Rousselle et la floriculture. Éric devait être potard: il est employé de banque. Tio voulait être ingénieur: mobilisé en 14, sous-lieutenant en 18, il est resté dans l'armée.

Au lit, le soir, Mariette et moi en avons convenu: dans notre hâte – honorable – de savoir ce qu'ils seront, nos enfants, nous les angoissons en ayant l'air de porter moins d'intérêt à ce qu'ils sont.

*

De toute façon, si attentif qu'on soit, on évite mal l'ambiguïté. Je parle de mon ancien collège, Mongazon, et je lâche:

– Curieux! Si je compte les réussites, je trouve un premier de classe et trois cancres.

Baumes pour Yane, pour Louis. Mais il y a de quoi démobiliser Nicolas.

*

Autre ennui: l'épuisement des sujets; ou leur prudente mise à l'écart.

Il y a des silences parlés où languissent des conversations plates comme la table du dîner et qui avouent en fait: nous n'avons rien à nous dire. Fini le temps où pour des tout-petits on s'en tire avec des phatèmes, des mots de contact, des niaiseries tièdes. Maintenant, nous sommes tenus de communiquer. Beau verbe! Gros verbe! Surtout quand, après avoir débité beaucoup de salive, il ne s'agit plus de phraser, d'être convaincant autant que convaincu. Comment sortir de la mastication pour aborder un de ces problèmes sérieux, naguère tabous et qui, paraît-il, ne le sont plus? Et ce en les rendant aussi digestes que la purée mousseline qui vous encombre la bouche.

*

Autre ennui : l'inverse, la logorrhée que semble exciter le fait de s'exprimer dans un transmetteur de parole. Le téléphone ne devrait débiter que de l'urgent. Il est devenu le grand papoteur juvénile. Nous avons de vrais abonnés : Zouf, qui est quotidien ; Rose, deux fois par semaine ; les petites Chonard, plutôt pour Nicolas. L'heure la plus encombrée est celle qui suit immédiatement la rentrée des classes.

– Yvonne est là ?

S'il vous plaît est une locution qui devient rare. L'anonymat est fréquent. De la part de qui ? Mariette n'ose pas le demander ; elle craint que ça fasse enquête. Moi, j'insiste, et l'on s'étonne :

– Ben quoi, c'est pour le problème...

Un récent coup de fil d'Yvonne portant son record à une heure dix m'a décidé à me réserver une seconde ligne.

*

Ne nous plaignons pas trop. À d'autres moments, je tends l'oreille : l'esprit leur vient.

– Oh ! là ! là ! À quoi ça tenait, le paradis terrestre ! Ève n'aurait jamais été tentée par une patate ! s'écrie Yvonne, qui déteste la corvée de pluches.

La jugeote aussi se met en place. Une émission sur la vie du général de Gaulle l'a fait longuement repasser à la télé. Et Nicolas de dire :

– Décidément on ne meurt plus.

Et c'est vrai que désormais les voix, les visages, les gestes se conservent. Un autre jour, il m'a confié :

– Ce qui m'embête au lycée, vois-tu, c'est qu'on a tous le même âge : on ne peut se comparer qu'avec ses semblables.

Ça sent déjà l'adolescent ; et après tout, s'il n'était tiré en arrière par une fratrie plus jeune, Nicolas, qui approche de quinze ans, devrait être considéré comme tel.

*

Le fourre-tout est plus décevant : j'espérais y trouver des traits de ce genre et même des considérations générales. Mais j'y glisse les miennes, qui sans doute intimident. Il est surtout utilisé pour des réclamations souvent associées à des comparaisons.

– Une minibike pliante, comme Adèle, il y en a aux Dames de France (Yvonne).

– Un blouson bourru, comme Bernard, j'aimerais bien (Louis).

J'aurais préféré qu'ils nous fassent part de leurs inquiétudes. Ils en ont, ils en parlent rarement comme s'il suffisait de les taire pour les conjurer. Mais les nôtres s'expriment-elles mieux ?

*

Admettons que Nicolas en donne peu, bien que les lentilles qui ont remplacé ses lunettes lui fassent mal apprécier les distances entre nous et lui. Excellent, il l'est toujours, on s'en fatiguerait presque. À peine passé au lycée, il nous a laissé entendre que nous ne pouvions plus le suivre et qu'il s'occuperait seul désormais de ses études. C'est tout juste s'il tolère que je rencontre ses profs.

*

Confirmation de l'inverse pour Louis. J'ai dû me fâcher pour que Tio, qui ne l'aime pas, cesse de l'appeler « Chichefesse » ou « Chichetête ». Mais c'est vrai que négligé, hirsute, l'œil cerné, l'ongle noir, il n'éprouve aucun dépit d'être lanterne rouge. Pas idiot, pourtant. Ses resquilles, ses combines, ses vives reparties, ses croquis insolents amusent parfois et plus souvent agacent. Aux désastreuses mentions que porte son carnet, il ne cherche pas d'excuse ; il tousse, il est soudain atteint de DSQ (*Dieu sait quoi*). Il se plaint :

– Je suis comme tu m'as fait.

Il se croit, il se dit le raté du milieu entre un brillant aîné et deux chouchoutes.

*

Yvonne, bien notée, jusqu'ici bien dotée par la nature, se supporte mal depuis qu'un imbécile lui a crié :

– C'est ton vélo qu'il faut gonfler, pas toi !

Il n'est pas faux que la charmante se rembourre.

*

Yane reste victime de son handicap. Mais si je compare les Quatre aux affreux qu'on me décrit parfois, je me rassure. *C'est la bonace, attends, la crise viendra*, disent mes amis. Peut-être. L'année est calme. Pompidou règne. Le PNB triomphe. Si le rêve sévit encore, il n'encourage plus guère que des fuites dans la nature, des retraites dans la bêlante paix des chèvres cévenoles.

À propos, s'échappant de Cahors, Catherine aurait rejoint une communauté hippie dans le Velay.

*

Martine, elle, trouve grâce. À l'approche des diplômes qui font les établissements, un carabin qui couche avec votre petite-fille mérite d'être appelé Roland. Mamoune a invité les « fiancés » à déjeuner.

Nous aussi. Le garçon, un géant blond pâle dont le nom vendéen, Practeau, cadre mal avec son aspect de Viking, s'est laissé battre aux échecs par Nicolas. Tio, présent, a gaffé :

– Tu vois, y a du veau Marengo pour l'enfant prodigue.

Il m'a semblé que, s'il y avait de l'absolution dans l'air, c'était le couple qui nous l'accordait. Après son départ, Tio, qui décidément vieillit, a cru bon de bougonner :

– Tout de même, ça fait un bout de temps qu'elle l'essaie, son type !

– Vous voudriez qu'elle en essaie d'autres ? a répondu Mariette, candide.

*

Des amours de Martine se multiplient les exemples, qui se jugent cas par cas. Josette Tource s'est envolée : son père la répute en Sorbonne. Le président Albin n'avoue pas davantage que sa fille, skiant à Megève, est restée sur place avec son moniteur.

L'inflation de liberté produit une déflation du qu'en dira-t-on, mais non de l'hypocrisie.

*

Le scandale lui-même s'étouffe. J'ai eu du mal à reconnaître dans la rue Mme Berthot, alias Odile, ma petite folie des années cinquante, épouse d'un plombier à qui je n'ai jamais fait appel, on le comprendra, pour réparer mes tuyauteries. C'est elle qui m'a accroché. Elle promenait à petits pas Mlle Berthot, enceinte jusqu'aux yeux, m'a-t-on dit, des œuvres d'un jeune magistrat trop bien marié pour lui fournir un père.

Voilà seulement une décennie, un tremblement de terre aurait secoué les murs du Palais ! On se contente d'y pouffer. Sur l'indignation prime une caustique indulgence pour la mignonne et son chat fourré, fils d'un potentat local pas très aimé, dont Mlle Berthot était la secrétaire. Coût pour le bonhomme : une dot suffisante pour intéresser un cousin complaisant. On peut lui faire confiance : il a déjà, en affaires, la réputation de savoir organiser le silence.

*

Mais ne médisons pas davantage des Angevins qui ne furent jamais ni doux ni mous et qui, pas fous, s'accommodent bien d'un siècle où leurs valeurs s'étiolent, boursières non comprises. N'est-ce pas l'un d'eux qui, pour clore un cours magistral, a trouvé cette superbe formule : « Il n'y a pas rupture ni même solution de continuité : la morale se replie en bon ordre » ?

Et n'ai-je pas vu ma mère promener un doigt (il tremble un peu maintenant) sur le plan-guide qui, de ZUP en ZI, d'Avrillé à Saint-Barthélemy, a dévoré tant de vert ? Elle chevrotait :

– Il n'y a plus que la Maine qui coule de la même façon.

Les idées, les appartenances qui furent ici des monuments, les classes dont la première – la Société – se réservait la majuscule, tout semble encore en place et rien ne l'est plus vraiment. Ainsi dérivent les continents. Résistant mieux aux secousses, les mentalités cèdent aux glissements lents.

Insistons : le glissement, il est de toute nature.

Autrefois, me disait le doyen de l'ordre, *la vie passait, bien sûr, mais pas la façon de vivre* ; et c'est vrai que du cheval à la fusée, du cuveau à la machine à laver, de l'enfant de Marie à nos libérées, la génération de ce septuagénaire est sans doute celle qui, en un temps record, aura dû s'adapter aux plus radicales transformations de la vie privée.

La mienne n'est pas en reste : le défilement continue. L'altération expresse du décor est peut-être ce qui me touche le plus. Le quartier de l'Esvière, que j'habite, n'a plus grand-chose à voir avec ce qu'il fut quand j'étais collégien : mes images souvenirs sont de vieilles cartes postales. L'extension suburbaine, dévorant maraîchages et pépinières, m'accable de grands ensembles, de voies complexes portant parfois les noms de gens que j'ai connus vivants, comme celui de ce grand journaliste offrant maintenant des numéros… d'appartements à ses anciens lecteurs.

Et que dire du bocage, livré au bull ? J'y roule, sourcils froncés. J'y cherche, au revers des talus, les souches creuses, les haies roncières, les bordures de pommiers, qui ont laissé la place à d'interminables pacages, ceints de clôtures électriques où paissent des aumailles de cinquante bêtes, pour la plupart immigrées charolaises ou flamandes qui ont évincé les petites *bertes*. Quant à l'oreille, malgré le folklore cher à de rares poètes-paysans, comme Émile Joulain, et les récitations encadrées de filles en coiffe – dactylos dans le civil –, elle n'a guère l'occasion d'entendre parler le patois, éradiqué par le français de radio.

La vallée change moins. Tout de même, Tio et moi, retournés un jour, par nostalgie, à La Rousselle, l'ex-maison familiale que signalait de loin son séquoia, nous avons vite fait demi-tour : rasé, le petit parc était devenu un cimetière de voitures.

*

Mais ce sont nos gestes quotidiens, nos habitudes qui, plus encore, se décalent, nous imposant des nouveautés qui pour les enfants n'en sont pas. Le franc nouveau a mis dix ans à supplanter l'ancien : sauf dans le cas où l'évaluation en millions de centimes est plus flatteuse. Le souci de faire pauvre en pays riche a, presque aussi rapidement, persuadé le bourgeois que le négligé, appelé *décontracté*, le camouflerait mieux. Le chic passe ailleurs : dans le coût du mouvement que célèbrent la voiture, les sports d'hiver, les vacances lointaines, dont l'allongement dans le temps se double d'un étirement dans l'espace. D'austères et serrés, comme l'est encore ma mère, nous devenons jouisseurs et négligents. Un pull démaillé, des chaussettes trouées ne se reprisent plus ; on les jette, et ce gaspi, qui remplit les poubelles, tend à devenir la norme chez des amis qui, voilà peu, vivaient leur dépense comme on vit un régime.

*

Mais qu'ai-je à dire là-dessus qui ne me concerne pas ? Le seul parti qui rallie tout le monde est le consumérisme et il m'a racolé.

Chaque samedi, dix minutes avant la fermeture, j'arrive rue des Lices, le plus souvent avec les enfants (Nicolas excepté). C'est d'ailleurs à peu près le seul jour où je hante la boutique, où je n'ai pas d'emploi, hormis de tourner à l'occasion la manivelle, un peu dure, du rideau de fer. La crainte d'y être pris pour un vendeur, d'annoncer un prix me rend nerveux. J'ai déjà assez de mal à réclamer des provisions, à m'assurer de mes honoraires dont pas un avocat n'ignore qu'ils se paient mieux dans l'angoisse, donc avant qu'après le jugement.

J'aimerais ne pas m'attarder. Mais les enfants relèchent Mamoune. Une cliente de dernière heure n'arrive pas à se décider. Tio, impénitent visiteur, me tient la manche. Plus rarement ma mère est là, elle vient d'arriver, elle va repartir, elle n'a pas dit trois mots et, toute mince, écoute poliment la vaste, la volubile Mamoune, et chaque fois je me dis que devraient exister en français des mots équivalents à l'indien qui distingue la mère simple (celle du mari) de la mère double (celle de la femme), assurant une matrilinéarité contraire à l'état civil, mais conforme à son influence. Enfin je sors ma liste que Mamoune examine, discute, question prix, question marques, écourte quelquefois et plus souvent rallonge en y adjoignant ses plus modestes emplettes.

Elle soupire :

– Allez ! Je rangerai.

Nous filons. Mariette, qui dans une voiture ne saurait être qu'au volant, se faufile dans les embarras pour rejoindre le parking du Record. Yane lui murmure, en dialecte Guimarch, qu'elle a « le masque blanc ». Qu'elle soit vannée, il n'y a rien d'étonnant. Pourtant, dans un concert de klaxons qui protestent contre un bouchon à l'angle du quai, elle crie :

– Finalement, je m'inscris à La Clef.

Il s'agit d'un club de lecture ; La Clef, parce qu'elle figure dans les armes de la ville, parce qu'elle est censée ouvrir l'esprit, parce qu'elle ferme la porte aux aubains, ça classe. Mariette lit peu : une page de roman entre deux clientes et parfois deux autres, au lit, avant d'éteindre. Mais elle affirme son droit à la *Cinquième Part*. Les enfants, la maison, le travail, le mari font un tout. Mais elle-même ? N'est-il pas écrit que le bonheur des nôtres ne doit pas contrarier notre culte personnel, qu'un beau loisir est une façon de le consacrer ? En avoir le temps est une autre affaire : l'apparence peut suffire. Comme Mariette est juste, le corollaire suit :

– Toi, depuis longtemps tu aurais dû remplacer Papa au Rotary.

Hélas ! Il ne fleurit pas ma boutonnière, l'insigne, convoité en province, qui décore un excellent du métier, un noble de l'emploi. Nous savons très bien que la charité pour un dixième, la convivialité pour deux, la respectabilité pour trois en laissent quatre à l'utilité, au maillage de relations grâce à quoi prospère une clientèle... J'y pensais. Danoret m'a évidemment devancé.

*

Mais entrons dans son temple célébrer l'abondance. Du parking au supermarché, dans les deux sens, aller vide, retour plein, le flux de chariots est dense. On croise plus de petits couples que de vieilles dames ; mais l'octogénaire, que flanque un pépé et qui connut l'époque des caillebottes, des alisses et des embeurrées de choux verts pour les vendredis maigres, ne manque pas et petonne bravement dans ce que certaines, au début, taxaient de foire à bouffe. Ce qui me tire l'œil d'abord, ce sont les insolites. Pourquoi crie ce gendarme dont on peut se demander, tant il est rouge, s'il ne va pas verbaliser sa femme ? Quelle est cette créature qui chante en poussant une montagne de pâtes ? De quel ordre sont les deux moines en train de charger des cageots de légumes dans une camionnette de la même couleur que leur froc ?

Yane a été chercher un caddie. Nous arrivons dans la cohue. Je suis le moteur ; je suis le frein ; je vais au pas glissé que mesure ma rotule, le corps tenant sa verticale, les mains sur la barre de conduite, tout œil à gauche, tout œil à droite pour les évitements qu'impose le gymkhana. Nous avons déjà perdu Louis, mais c'est habituel, il file au rayon de disques, on le retrouve à la voiture. Yvonne en général suit, en compagnie de sa mère. Les aigus de Yane me pilotent :

– Prends plutôt par la troisième travée…

Le samedi est jour d'affluence et c'est pourquoi nous venons tard. Malgré tout, dans les parages de la grande bouffe, il y a encore presse. C'est le triomphe de la *Sixième Part*, multipliant le gouliafre, personnage rabelaisien dont le Tourangeau, s'il ressuscitait, s'étonnerait de ne pas le voir figurer en bonne place dans le roman moderne où l'on baise beaucoup, où l'on bâfre peu, alors que la moyenne est de trois repas par jour pour trois bagatelles par semaine. Feu Toussaint répétait souvent :

– Ce n'est pas du biceps, c'est du masséter qu'on se sert le plus.

N'en déplaise à ceux qui rougiraient d'avouer qu'ils sont à l'aise en ces lieux, moi, j'aime assez. J'aime la confusion de la profusion, l'étalage public de l'intimité des achats, dans leur excès comme dans leur manque, aussi éloquents qu'une déclaration de revenus. J'aime cette avidité fébrile d'un monde qui se goberge de tout ce que la planète a expédié là, au risque d'indigner de vaillants esprits affligés d'estomacs qui les contraignent à remplir, eux aussi, leurs coffres de voiture. Mariette dit parfois :

– Je regrette ma petite épicière de la rue Marceau. On causait…

Mais non ! Sa nostalgie n'évoque que sa jeunesse : époque des étals vides, de nos fringales de quinze ans durant la guerre. Le supermarché, certes, ça fait pillage de ville ouverte. Pour nous quelle revanche, quel rendez-vous d'ogre à mille têtes ! On ne cause pas, ici. On ne marchande pas, on barguigne à peine, on tend le bras, on se sert, on va plus loin, à travers des écroulements de couleurs et d'odeurs. Rappelle-toi, petit Abel, les cartes de pain, le ridicule petit morceau de beurre mensuel, l'extrême rareté des oranges ! Et regarde : cet éden des fruits où se mélangent les pommes du Canada, les kiwis de Nouvelle-Zélande, les avocats d'Israël, les bananes de Guinée, les kakis du Japon. Regarde ces suovétaurilies des longs congélateurs où, découpées, parées, étiquetées sous cellophane, les viandes ne sont plus que des morceaux de puzzles que Dieu lui-même n'arriverait pas à reconstituer en bêtes grognant, bêlant, beuglant dans on ne sait quelles fermes. Regarde ce cimetière marin où voisinent, dans la glace fondante, raies brunettes, grondins gris, menus rougets, lottes hérissées, thons tronçonnés qu'encadre ce qui fut leur menu favori : les maquereaux zébrés, eux-mêmes si proches des sardines d'argent bleu dont ils faisaient leur ordinaire. Et encore et encore l'explosion potagère des quatre-vingts légumes, les verts, les secs, les gelés, les mis en boîtes, en bocaux, en sacs scellés sous vide ; et les bouteilles de verre ou de plastique aux cent eaux, aux cent jus, aux cent sirops, aux cent bières ; et tout et tout, défiant l'énumération, offert dans la musique choisie par des finauds, comme ont été pensés et repensés les emplacements, les tentations par promotion, par réduction, par fascination, pour décerveler le chaland réduit au geste qui prend, qui enfourne du superflu soudain ressenti comme nécessaire.

*

Suis-je donc du troupeau ? Ça dépend des jours. Il y a un parcours sans défaut : celui qu'on réussit en s'en tenant strictement à sa liste et même en y biffant ce qui ne correspond pas vraiment à ce que vous souhaitiez. Il y a un périple de prodigue que trahit au début du mois le remplissage général des chariots dont les pousseurs se rendent joyeusement complices des bourreaux de leur chéquier. La jeune espèce qui ne s'étonne de rien, que la télé endoctrine, que les squelettes vivants des famines africaines indignent sans vraiment les amener à se priver de chocolat, auraient tendance à charger ras bord si on les laissait faire. Sauf Yane qui récrie volontiers :

– Tu bourres, Papa !

Mariette, c'est selon. Sa dépense doit beaucoup à son niveau de recette. De toute façon, elle a ses compétences qui sont vastes et peu discutables ; j'ai les miennes, plus restreintes et soumises à censure :

– Je t'en prie, pas de court-tout-seul !

Le fromage est en effet de mon domaine comme tout ce qui appartient à la tradition de Noé. Le reste dépend du jugement féminin, mieux averti des exigences d'un ravitaillement qui doit obéir à la règle du plus petit commun multiple : autrement dit au choix de ce qui semble comestible à tout le monde, l'argument suprême demeurant :

– Les enfants adorent ça !

Et ça, si je me laissais faire, le moins qu'on en puisse dire est que la variété ne triompherait pas. La franc-maçonnerie des crèmes, yaourts, compotes, confitures et gâteaux obéirait au grand maître $C^{12}H^{22}O^{11}$, pourtant si fauteur de caries. De glucide en féculent régnerait aussi la patate autour du steak haché. En dehors du festin, la chère serait bien triste et peu lu le livre de cuisine. Mais je me suis fait une réputation :

– Abel, dit Mariette, se tient à table : on ne peut pas lui enlever ça.

Se tenir à table est une expression du beau-père qui aimait citer l'Angevin Curnonski, prince des gourmets (de son vrai nom Maurice Edmond Sallan), auteur d'un jugement sans appel : *Le repas courant du petit-bourgeois est à la gastronomie ce que le verre est au diamant.*

Allons ! Si nous ne sommes point de ces sybarites qui poussent vers les caisses des chariots débordant de provisions pour cordons-bleus, je ne me contente point d'un appétit de contemplation. Le dimanche, nous atteignons au moins le cristal.

Encore une fois je veille.

On parle toujours des siens comme s'ils ne cessaient d'être présents, de s'exprimer de la voix, du regard ou du geste, comme si debout pour nous, assis pour nous, couchés pour nous, ils n'interrompaient jamais l'échange de vie à vie, dont il faut retrancher ce que le Moyen Age appelait, religieusement, la dormition.

Pourtant une famille, durant au moins le tiers de son temps, est aphone, sourde, aveugle, immobile : dispersée pour tout dire en autant de personnes qu'a réunies la table et qu'isole le lit, même commun, sur les quatre-vingts centimètres de largeur réservés à chacun.

Parce que je bats des paupières, tard, sur de la paperasse, parce qu'il y a un réverbère assez proche dans la rue pour que sa lumière filtre entre les lames des persiennes, parce que l'ombre ne s'épaissit jamais assez pour m'empêcher d'y faire la chouette, j'ai longtemps glissé sur mes chaussettes, d'une chambre à l'autre, pour écouter par les portes entrouvertes des respirations. Quête obscure, sans raison définie ! Habitude prise à l'époque où il n'y avait à la maison que des mouflets si écrasés de sommeil qu'ils faisaient penser à une gravitation inversement proportionnelle à leur poids. En chacun de nous n'y a-t-il pas un fantôme qui surgit de lui-même, où l'ensevelit l'indifférence du quotidien ? Perpendiculaire à ceux-ci, à celles-là qui tout en long, sur le dos, sur le ventre ou sur le côté, n'étaient plus que des sandwiches entre deux draps, j'allais dans la fausse tranquillité de mon silence surprendre, parmi les infimes craquements des meubles ou du plancher, les signes de *leur* existence : froissements de couverture, souffle plus profond, retournement du corps... Je m'offrais de l'effroi. Cette chair vivante, inconsciente, comme morte à ma présence, un jour, un jour lointain, bien après moi, n'entendrait plus le réveil qui, chaque matin, nous fait sauter du lit. L'horreur des siècles où ces vies-là se gaspillaient si facilement qu'un enfant sur deux disparaissait avant d'être pubère, c'est terminé. Mais l'accident ? Mais l'imbécillité radicale de ce monde nucléaire ? Mais les contaminations, les drogues et tout ce qui ne menace pas seulement les enfants des autres ? Ils rabâchent, les avertis, que désormais un père a peur des siens. Ce n'est pas tout à fait faux si l'on entend par là qu'il craint pour eux un devenir contraire à ses espoirs. Mais comme elle est plus vraie et plus vive, la peur du veille-au-nid, la peur chaude, si différente de la peur froide du solitaire qui n'a souci que de lui-même !

*

Encore une fois je veille.

Encore une fois j'ai quitté mon bureau, je me suis déshabillé sans bruit dans la salle de bains, je rôde quelques instants avant d'aller me couler auprès de Mariette. Un ronronnement étouffé signale que le moteur du frigo vient de repartir. Les enfants désormais ferment leurs portes : je n'entendrai rien d'autre. La journée n'a pas été facile. Mariette se plaint de son chiffre d'affaires, qui baisse. Louis est rentré du collège avec un poignet foulé et, comme il s'agissait d'une bagarre, une menace de renvoi. Avec un 39°5 Yvonne s'offre une angine. Nicolas lui-même faisait la tête, sans raison apparente, ce qui lui arrive maintenant au moins deux fois par semaine : une vive querelle, au téléphone, semble l'avoir opposé à une camarade inconnue.

Ouf ! C'est bon de respirer dans le calme, purgé de répliques, d'une maison qui me donne parfois l'impression qu'aux prises de courant s'élève la tension.

1974

Nous y sommes.

Les cous, les bras, les jambes se sont allongés. Malgré la lutte anticomédon, l'acné se mélange au premier poil sur les joues des garçons. Les pointes de seins agacent les chemisiers des filles dont la puberté, m'a chuchoté Mariette, est bien plus précoce que ne fut la sienne.

Nous y sommes. Nous faisions le dos rond, impressionnés par les idées reçues de cette fin de siècle *où la violence* (ai-je lu quelque part) *dérive des frontières des patries à celle des générations.*

Le pointillé de cette frontière-là, où passe-t-il ? Enclins à voir nos enfants plus jeunes qu'ils ne le sont (comme eux à nous trouver plus vieux), nous ne pouvons plus nier l'évidence : ce sont des adolescents. Mais si *l'irrédentisme de cet âge* (j'emploie encore une formule toute faite) doit se mesurer au colonialisme parental, nos difficultés vont se trouver groupées, nous échapperons à leur échelonnement pour les subir ensemble. Dix-sept, seize, quatorze, quatorze ! L'âge scolaire des Quatre est très différent : Nicolas, en terminale, s'approche du sacrement social : le bac. Louis s'est laissé rattraper par Yvonne en troisième, tandis que Yane s'enlise. Mais ce qui les sépare au niveau des études n'a, physiquement, guère d'effets, les uns comme les autres s'empaquetant dans des pantalons qui godent et des tee-shirts qui leur noient les hanches.

Nous y sommes. En crise ? Pas vraiment. Entre le baratin de courriériste content de vous fiche le trac et un optimisme béat, vite désabusé, il y a place pour une vérité simple : il s'agit d'une *mue* sans commencement ni fin précise et, j'ai pu m'en apercevoir, vécue très différemment, dans la même maison, par des frères et sœurs. Une mue, par nature, c'est incommode, c'est pénible comme un accouchement lent : pour soi et pour les autres, effrayés de ne pas savoir ce qu'il en sortira et n'enregistrant, sur l'instant, que des plaintes ou des cris. De toute façon, qu'elle s'étire ou non, il faut la tenir pour provisoire ; c'est sans doute pourquoi je n'ai pas, comme je le faisais jadis, noté quoi que ce soit sur mon agenda, devenu purement professionnel. La mémoire, elle, fonctionne à l'émotion : les scènes qu'elle retient ont des chances d'être plus significatives.

Fin mars, ma mère, toujours marquante en son effacement, toujours enveloppée de ce châle gris qu'effleure son chignon blanc, était venue déjeuner: ce qui signifie, pour elle, mordiller patiemment d'un dentier défaillant une escalope arrosée d'un verre d'eau. La vénération qu'elle inspire la désincarne: les Quatre ne tourbillonnent guère autour d'elle, la lèchent encore moins et s'éclipsent après le dessert, en la laissant tourner sa petite cuillère dans un café adouci d'un demi-morceau de sucre. Une heure plus tard, quand elle s'en va, ils reparaissent pour lui dire au revoir d'un léger coup de bec.

Or ce dimanche-là, lors de son départ, point de dégringolade. Mariette fit le tour des chambres, fouilla le grenier où ce fut longtemps une facétie d'aller se cacher. Personne ! C'est moi qui, pensant à explorer le garage, en suis remonté, la bouche mal desserrée pour grommeler:

– Ils ont pris leurs machines.

– Tous ensemble ! Sans dire où ils allaient ! s'est exclamée Mariette. Je parie qu'ils sont allés à Liré.

– Ne vous y trompez pas, fit doucement ma mère, c'est une démonstration. On s'émancipe. Mais je ne pense pas qu'ils soient chez les Gouveau. Il me semble bien avoir entendu Yvonne dire à Nicolas en quittant le vivoir: « Ça ne fait que sept kilomètres. »

Déduction immédiate: à cette distance nous ne

connaissons que les Chonard. Le greffier a jadis beaucoup trempé de fil dans la Sarthe avec les Guimarch père et fils : sa réputation au Palais dans l'art de ferrer le sandre passe de loin celle que méritent ses dossiers. Ma mère, dont l'abdication est ancienne et qui économise les conseils, ne put s'empêcher de murmurer en franchissant la porte :

– À votre place, je n'irais pas voir ce qui se passe à Écouflant.

*

Mais vingt minutes plus tard, en promeneurs, nous y étions : à grand tort.

Les Chonard ont, dans une des curieuses petites rues du village, une ancienne maison de pêcheur prolongée par un étroit jardin. Mme Chonard, réputée bizarre, ne reçoit jamais, et je ne doutais pas de trouver son mari dans le coin où m'avait deux ou trois fois entraîné le beau-père. Je me souvenais d'une plate noire, avec tolets à rames et support de godille, enchaînée à un saule. Je me souvenais de notre approche par une vicinale ourlée d'une haie d'aubépine et parallèle à la rivière dont la sépare une prairie en pente douce rongée de petit jonc.

Je me reconnus assez vite et, sur place, je choisis une brèche. Mariette braqua aussitôt ses jumelles, puis me les tendit :

– Ils sont bien là, chuchota-t-elle. Que fait-on ?

– Rien ! Surtout rien !

Je m'en voulais de cet espionnage. Derrière les peupliers de rive – de grands *ziards* dévorés de boules de gui –, au pied de quoi s'accotaient vélos ou Mobylettes, la Sarthe, couleur gardon, n'était pas lisse, mais écaillée de vaguelettes par le vent prenant le courant à contre-fil. Des colverts cancanaient quelque part dans la roselière d'amont, nourrie par un îlot de vase. Un ballet de mouettes palpitait en aval, assez loin, dans une région de têtards d'osier, en deçà de laquelle le père Chonard, assis au bout de sa plate, tenait une frémissante gaule, tandis qu'à l'autre bout, seule avec lui, Yane avait tout juste assez de bras pour brandir la sienne.

Les autres, mes trois Bretaudeau, trois Chonard, Zouf, Édmée, Hubert, Bernadette Langloux, le cousin Herbert, Adrienne, Marceline, Rose Gouveau (la plus méritante : Liré est à cinquante kilomètres de là), une fille dont j'avais oublié le nom et deux garçons inconnus écrasaient quelques mètres carrés de nourrain, l'herbe neuve étoilée de suzannes, ces primevères jaunes des glaises. Un tableau ! Toute la bande à Zouf ! À observer d'un regard nouveau. Car tous, visiblement, ils étaient là pour être là. Entre eux. Pas avec nous. Il ne s'agissait plus de fils, de filles, mais de nénettes et de petits mecs, affichant sans le savoir cette gêne des corps nouveaux, achevés, mais non maîtrisés ni pleinement utilisés, qui donne à la fois de la grâce et de la gaucherie. Yvonne agaçait le cou d'un des garçons anonymes avec un brin d'herbe. Élodie ceinturait franchement l'autre, peut-être moins sûr qu'elle de ses intentions.

– Louis fume, maintenant ! fit Mariette.

Rose et Hubert en faisaient autant et leur façon de pomper leur cigarette avant de souffler bleu montrait assez la frime, leur souci de s'encenser le nez pour faire adulte. Mais j'observais surtout Nicolas, assis entre Jeanne et Julie, quand les cris de Yane cramponnée à sa ligne fortement arquée et la plongée du haveneau du père Chonard ramenant une estimable pièce battant farouchement de la queue suscitèrent quelque intérêt dans le groupe. On daigna, du pas déhanché des curieux négligents, aller voir de quoi il s'agissait. Sauf Nicolas. Sauf une Chonard : Jeanne ou Julie. Disons : celle de droite. Ces deux-là demeurèrent côte à côte. Sans se toucher. En se regardant un peu, en détournant la tête pour se regarder de nouveau, comme si un mur d'air les séparait. Mariette s'inquiétait :

– S'ils nous repèrent, de quoi allons-nous avoir l'air ?

Déjà la bande revenait. Nicolas se leva soudain, alertant plus encore sa mère. Qu'il eût cependant, à travers la brèche, aperçu et reconnu la voiture restait improbable. En fait il s'approcha d'Élodie, lui saisit le bras et, l'élevant comme un arbitre en fin de combat, cria quelque chose qui se perdit dans le vent. Des acclamations légèrement perceptibles suivirent. D'un sac à dos, ensuite, furent retirés des gobelets et une bouteille à goulot doré : du crémant, je pense, plutôt que du champagne. On trinqua.

– Ils fêtent quelque chose, reprit Mariette. Nous sommes ridicules. Filons !

Je démarrai, la tête rentrée dans les épaules comme si je conduisais une voiture volée.

*

Ils sont revenus bien plus tard que nous. Leur mère et moi, nous mettions le couvert. Ils s'étaient évidemment concertés pour rentrer comme ils étaient sortis, sans gloses, sans même afficher leur droit à ne rendre aucun compte. Yane se contenta de poser sur l'évier sa victime enveloppée dans du papier journal en annonçant :

– Une carpe ! Elle doit friser le kilo.

Le nez en l'air et les mains dans leurs poches, les garçons s'efforçaient de n'avoir l'air ni carrés ni goguenards, et les filles arboraient le sourire « fleur entrouverte ». Mais nous aussi nous étions concertés. Motus ! Pas d'interpellation. Rien même qui, dans le regard, ait l'air d'une question.

– Ta carpe, a dit Mariette, on pourrait la faire à la juive.

Et moi :

– Vous me ferez penser à regraisser vos machines.

À table, tout de même, les filles encadrant le père, les fils encadrant la mère, l'embarras fut un moment perceptible. Quand s'éteignent soudain les petites phrases enquêteuses, *Où étiez-vous ? Avec qui ? Qu'avez-vous fait ?* c'est aussi à qui les subissait qu'elles manquent, même s'ils entendaient les braver. Comme pour les petites voitures autoguidées, le maudit fil, qui limite les parcours, fournissait du courant. Débrancher, c'est vite dit : quand on reste couché, nourri, vêtu, chauffé, l'indépendance, ça ressemble aux escapades du chat.

Enfin Nicolas se résolut à faire diversion, à commenter les huitièmes de finale de la coupe : Angers, vainqueur

2-0 à l'aller, mais torché 0-4 au match retour ! Défaite honorable, car il voyait bien les Verts l'emporter au parc contre Reims ou Monaco.

– Tu nous rases avec ton foot, protestèrent les filles.

L'envol des prix de l'essence n'eut pas plus de succès et encore moins les chances de Giscard contre Mitterrand. Au creux d'un nouveau silence, les observant au-dessous de mes cils, je ne pensais qu'un mot : *Déjà* ! Puis ce mot se développa : ils en étaient déjà là ! Que se passait-il ? Quelle accélération ? Il m'avait paru si long, si répétitif, notre quotidien, et voilà qu'il me semblait écourté. Un clin d'œil de Mariette, qui n'ignore pas que Louis ne sait plus se taire s'il se croit deviné, lui fit lâcher soudain :

– Tu sais, Papa, qu'Élodie a son permis de conduire ?

Un permis de rouler sur quatre roues ! Le premier accordé à un membre du groupe ! C'était en effet un événement considérable.

Autre incident.

Escorté de mes filles, je rejoins la boutique pour emmener Mariette au Carrefour qui a racheté le Record. Surprise ! Il y a là Nicolas qui doit revenir du stade et relève le nez pour m'accorder l'attention qu'il portait, en m'attendant, au dernier numéro de *L'Équipe*. Sa mère reconduit à la porte une cliente tardive. Sa grand-mère, dont la dévotion pour notre fort en thème n'a pas de limite, me souffle, non sans gêne :

– Votre fils me demande asile.

Ce n'est pas le ton convenable pour un garçon solidement campé dans un survêtement bleu à écusson de son club :

– Louis m'assomme, dit-il. Le bac approche et je veux être tranquille pour réviser. Là-haut, la chambre d'amis est vide...

Sa mère, qui retire le bec-de-cane, fait la moue. Ses sœurs relèvent le menton, étonnées : Quoi ? Il n'a consulté personne. C'est bien ce qui m'agace. Mais j'ai réfléchi trois secondes de trop et Nicolas me bouscule :

– À propos, il faut que je te dise... Le bac en poche, l'an prochain, via le PCEM, je commence ma médecine.

Je le voyais plutôt, de maths sup en maths spé, se diriger vers les grandes écoles. Tio rêvait pour lui du casoar, moi du bicorne. Faut-il lui faire remarquer que, des médecins, la ville en compte déjà trop ? Non, il me devance encore :

– Bien entendu, je me spécialiserai.
– Tout ça est très raisonnable, dit Mamoune.
Si raisonnable que j'en reste court, bredouillant vaguement :
– On a le temps de voir.
– C'est tout vu !
Il aborde déjà l'escalier en colimaçon, il monte en tournant. À la septième marche il se retrouve de face, nettement au-dessus de nous. Il sourit. Il domine. Il a décidé tout seul. Il existe.

Autre incident.

Je viens de rentrer, je referme mon parapluie, qui goutte. De la cuisine Mariette me crie :

– Regarde le fourre-tout.

Sur la console, il est en effet grand ouvert : ce qui signifie message ou réclamation. Notons en passant que l'usage qu'on en fait, plus fréquent, coïncide avec une certaine abstention de ma part.

Approchons. La surprise ne vient pas de l'emploi du crayon, souvent utilisé, mais de sa réussite, qui a dû exiger une bonne heure de travail : de nuit, en douce, probablement. Il y a là quatre portraits bouffons, assez enlevés pour qu'il n'y ait aucun doute sur l'identité de l'artiste : Louis seul en est capable. Ce qui corse l'affaire, c'est qu'il y a eu rajout. Sous chaque caricature figure une légende : à l'encre bleue, qu'emploie de préférence Yvonne, par ailleurs spécialiste de ces points sur les *i* qui ressemblent à des bulles.

En haut, à gauche, Nicolas s'ébouriffe autour d'énormes lunettes et croche studieusement du nez. Le commentaire semble confirmer ce dont je me doutais :

Chouette guettant sa première souris.

En dessous figure Yane dont la réputation de lève-tard, de *taiseuse* et de fée Farinette n'est plus à faire. Elle retrouve ici son prénom sous l'aspect d'une Marianne de plâtre, type numéro IV, affublée d'un soutien-gorge plat. Sur le socle, la devise nationale a été remplacée par un triplet qui singe celle de Vichy :

Traversin, faconde, pâtisserie.

En haut, à droite, Louis ne s'est pas ménagé. Tirant sur ses oreilles épointées, il s'est par dérision couronné de carton, comme s'il venait de trouver la fève dans un gâteau d'Épiphanie. Yvonne ne pouvait pas le rater :

Le dernier roi fainéant.

Mais elle a certainement fait la grimace en se voyant illustrer le thème de la pleine lune. J'imagine qu'elle a trépigné avant d'écrire bravement :

Je redeviendrai croissant.

Tout ça reste jeunet et dans la tradition de la rosserie fraternelle. On peut remarquer que Nicolas n'est pas entré dans le jeu ; ni Yane qui, pour se dispenser de lire et d'écrire, n'intervient jamais. Cependant une main se pose sur mon épaule : celle de Mariette, arrivée derrière moi sur ses charentaises :

– Tourne la page.

Elle a un petit rire que je n'aurai pas. La page tournée, je me trouve devant moi. Plus exactement, devant Mᵉ Bretaudeau, impitoyablement croqué sur le vif. Il me semblait bien avoir aperçu Louis une ou deux fois en fond de salle parmi la foule que rameutent parfois les chroniques judiciaires du *Courrier*. L'œil de Louis ne pardonne pas : aucun détail ne lui a échappé. Tous sont devenus offensants. Cheveu raréfié, joue amplifiée, lèvre retroussée sur les dents, je mords le vide. Je gonfle à l'extrême ce qui remplit ma toge dont la vaste manche, repliée en accordéon sur le coude, laisse dépasser celle du veston ; et mon poignet jaillit, emmanchant cette main qui repousse dans l'air les arguments adverses, tandis qu'à peine esquissé le président blottit dans sa robe un attentif assoupissement.

– Il a de la patte, le bougre ! murmure encore Mariette, qui ne souffre pas.

– En effet ! Et tant de griffe au bout qu'on se demande pourquoi.

Autre incident.

Yvonne, toujours un peu crispée sur son poids, a décidé brusquement de redevenir à tout prix longiligne. Passant à l'action, elle est allée droit au mot *obèse* dans le Larousse médical, que je ferais mieux d'égarer et qui propose deux volumineux exemples : celui d'un bonhomme, bon pour le sumo, très épais d'en haut, et celui d'une matrone, plus épaisse d'en bas. Elle a résolu de s'appliquer un régime que trouveraient sévère les plus rotonds des membres du club des Cent : ni sel, ni sucre, ni pain, ni beurre, ni fromage, ni légumes secs. Elle s'accorde un bout de viande grillée, trois feuilles de salade, une pomme et du jus de poireaux. Elle a maigri de cinq kilos, elle continue, elle parle de supprimer la pomme. Mariette, qui a dû et doit encore se surveiller, mais ne tient pas plus à être décharnée que trop répandue dans l'espace, s'est affolée :

– Tu ne vois pas, Abel, ce qu'elle est en train de nous faire ?

Chut ! Pas de mot pioché dans l'ouvrage précité. Soyons net :

– Non, c'est de la coquetterie.

Voire ! Également menacé par le couplet : *Il me déplaît de te voir replet*, je sais faire des comptes de calories et la ration d'Yvonne approche de celle d'un affamé du tiers monde. À son âge, une telle abstinence devient absurde.

Incriminer les magazines, inspirateurs de tailles de guêpe et de pantalons fuseaux, ne rimant à rien, malgré l'avis de Mamoune, j'ai quêté l'avis du Dr Ruk, un de ces psychiatres que les juges d'instruction commettent pour décider de la responsabilité de certains délinquants et qui finissent par nous devenir aussi familiers que leurs rapports. Il m'a d'abord répondu par une question :

– Pourquoi, maître, vous adresser à moi plutôt qu'à votre médecin ordinaire ? Il y a là, de votre part, une démarche qui souligne un soupçon.

Suivit un interrogatoire en règle impossible à éluder puisque je l'avais provoqué. Au bout de son menton, la barbiche oscillait. Il finit par conclure :

– Une dyslexique certifiée, une anorexique probable, un cancre... Il faudrait peut-être élargir votre inquiétude ! Vous êtes un bon père...

J'avais déjà entendu prononcer l'adjectif avec la même réticence.

– Mais les bons pères, continuait-il, sont souvent trop angoissés pour ne pas devenir angoissants... Ce que vous dit votre fille, en jeûnant, me paraît clair : Vous êtes mes nourriciers, vous m'avez gavée de soins et d'attentions... Merci ! J'en suis bouffie ! Ce que je dois être maintenant me concerne, je m'occupe de moi, je maigris de vous, je gère mon apparence...

C'est étonnant comme ils sont intelligents – et décourageants – ces experts ! Je me suis gardé de le lui dire, car de son prochain rapport dépendait le sort d'un de mes clients. Plein de zèle, il n'a pas manqué d'ajouter :

– Si ça s'aggrave, amenez-la-moi, dans mon service : l'anorexie ne résiste guère à l'électrochoc.

*

Je m'enfuis. À la maison j'ai interdit aux frères et sœur toute moquerie, toute allusion. Dans le refus de se nourrir il y a une part de théâtre, une pièce qui tombe à plat si vous y assistez sans avoir l'air d'en être impressionné. Puis je téléphonai à Lartimont. Médecin de l'évêché, moraliste en diable, il a ses limites, mais n'est pas l'homme à tirer la grive au canon. Trente ans d'exercice l'ont doté d'une expérience bougonne qui peut glisser à la complicité :

– Ne la contrez surtout pas ! N'entrez pas dans ses vues, mais laissez-la faire et envoyez-la-moi : seule, de préférence.

Prise au sérieux, Yvonne a considéré qu'une intervention médicale lui donnait raison. Sans demande de notre part, c'est d'elle-même, avec une satisfaction non déguisée, qu'elle nous en a rendu compte. Après un examen complet, longuet et soigneusement muet, Lartimont lui a signé une belle ordonnance en grognant :

– Tu as bien fait de t'alléger. Reste à te stabiliser.

Depuis lors Yvonne se contente de ne reprendre d'aucun plat et, notamment, de ceux qu'elle préfère. Elle compte devant nous ses gouttes : un placebo, sans doute, dont elle se plaint avec fierté qu'il est amer.

Autre incident.

Chose curieuse, pour soutenir sa réclamation, pour en souligner le bien-fondé, c'est par écrit que Yane s'est exprimée au dos d'une copie détestable, notée zéro, glissée dans une enveloppe non timbrée que j'ai retirée de la boîte. Le texte devait son orthographe à une secourable personne qui l'avait tapé à la machine :

Je suis nulle. Depuis le temps qu'elle dure, ma rééducation n'a pas changé grand-chose. J'arrête ! Je quitte le collège où je n'ai pas envie de moisir pour rien jusqu'à seize ans. C'est un CAP qu'il me faut ; et encore, le plus manuel possible !

Yane, c'est un cas. En même temps que d'Yvonne j'avais parlé de Yane au psychiatre, aussitôt intéressé par *ses autres troubles du comportement* et déçu que je ne puisse les décrire. Quels troubles ? Excepté son peu de loquacité je ne lui en connais pas. Elle ne s'affole pas de son manque, elle l'accepte, elle le vit aussi bien que Gilles vit son pied bot. J'ai tout fait, il est vrai, pour l'amener à croire que la faculté (apparue tardivement chez l'homme) de passer de l'oral à l'écrit était inégalement répartie, qu'elle avait sa forme d'intelligence et prendrait sa revanche ailleurs. Où ? La question était restée pendante ; et tenace l'espoir de lui faire acquérir un bagage minimal.

C'est là que nous avons fauté : en voulant croire que ça

s'arrangerait ; en refusant d'avance pour une fille d'avocat une « qualification basse » traduite par les braves dames du coin par des chuchotements du genre : *Un peu demeurée, la petite* ! Nous n'aurions pas dû trouver bon que d'une CM 2 tardive on l'ait de guerre lasse fait passer en sixième 3, elle-même redoublée, après avoir un moment parlé d'institut médico-pédagogique dans ces bureaux où on ne sait pas trop quoi faire de ces sortes d'élèves...

*

Elle a eu raison, Yane, de nous mettre au pied du mur.

Nous en avons discuté, Mariette et moi, près de la moitié d'une nuit. Avec des soupirs. Et des exclamations. Et des hésitations. Et des considérations anti-dépit. Dans le *Cosmopolitan* n'est-il pas question maintenant de nouvelles fées du logis, de tricotage qui exprime, de cuisine qui crée ? Il n'y a pas de filières nobles. Un CAP, pourquoi pas ? Mais lequel ? Si on en compte près de quatre cents, la plupart ont des exigences incompatibles avec les moyens d'une fille qui, en France, butera toujours contre une dictée de français.

Au petit jour, avant la gym, Yane s'est glissée dans notre chambre pour s'asseoir sur le bord du lit, côté père. Ses petits seins se bousculaient, elle respirait, court, mais ne jouait pas à la fille navrée :

– Je sais que je vous déçois, dit-elle, mais ce n'est pas moi qui me suis faite. J'ai réfléchi. Je dois me limiter et je choisis un CAP de couture.

Soulagée par notre approbation (chagrine), elle ne nous cacha pas que son orthophoniste, Mlle Aline, lui avait rédigé et tapé son texte, et je me félicitais de l'honnêteté de cette demoiselle reconnaissant que ses efforts – non gratuits – ne méritaient pas d'être prolongés. Nous n'avions plus qu'à solliciter pour la rentrée une affectation dans un CET qui, compte tenu des possibilités locales et de la balade ordinaire des dossiers dans les couloirs de l'inspection, n'allait pas de soi. Quant à l'opinion d'autrui, Mamoune, sitôt mise au courant, lui concocta dans la minute une version fiérote :

– Dé au doigt, Yane est douée, et je ne vois pas ce qui l'empêcherait d'accéder, plus tard, à la grande couture.

Autres incidents : ceux-là mineurs et parfois plus drôles que pénibles.

*

Ce beau dimanche ! Que faire d'un premier grand soleil de printemps ? Je viens de proposer un raid sur Pornic, avec pique-nique en cours de route.

– Tant qu'à faire, dit Nicolas, moi, je préférerais La Baule.

– Non, proteste Yane, rappelez-vous que j'ai invité Herbert.

– Puisqu'il y en a un sur la place en ce moment, intervient Yvonne, pourquoi n'irait-on pas au cirque ?

– Je te laisse les clowns, je n'ai plus dix ans, grogne Louis. Le plus simple, c'est d'aller au centre de loisirs.

– J'attends que vous soyez d'accord, souffle Mariette.

Le ton monte. À tout hasard, je donne un coup de fil au Gaumont. Il n'y a plus de place. Yane aura son Herbert. Pour les autres, ça finira devant la télé.

*

Ce rassemblement ! Il m'a fait découvrir un autre Louis.

De petits congrès sur le derrière, il s'en tient beaucoup d'amicaux : çà et là, sur le quai de la gare, sur la longue descente qui du parvis de la cathédrale plonge vers la Maine, sur la place du Ralliement au pied du théâtre. L'agglutination n'a pas alors de sens particulier : ce n'est qu'attente collective d'un train, d'un film ou de retardataires s'il s'agit d'un rendez-vous avant balade.

Différent, bien qu'utilisant les mêmes fonds de culotte, est le sit-in de protestation. Je suis passé par hasard devant le lycée David-d'Angers aux abords duquel s'en tenait un superbe, pour des raisons qui me sont restées obscures.

Il grondait en tout cas, bien serré, bien ancré sur l'asphalte, fidèle au rite, à la façon d'être assis en colère : jambes repliées contre les cuisses, formant un V dont la pointe est le coccyx, tandis que le buste, perpendiculaire au séant, n'utilise que les membres supérieurs et fait de chacun ou de chacune des élèves-troncs proclamant l'infirmité de leur condition. En ce cas, il est recommandé d'adopter la forme semi-circulaire : disposition bien connue des bœufs musqués dont nos durs ont le front d'os et l'adhérence au sol (matière dure, méritoirement inconfortable, donc à la fois idéologique et tactique). Déniant à tout banc, chaise ou tabouret, fichés sur quatre pieds, leur caractère institutionnel, le sit-in est contre les pouvoirs (scolaires et autres, se carrant dans leurs fauteuils) une arme non violente fonctionnant moins par intimidation, par persuasion de l'époumonement que grâce au nombre de corps, au poids d'entêtement, à la difficulté que les gens d'en face, moroses, à l'abri de fenêtres fermées, auront à se débarrasser de l'opposition cul-de-plomb.

Je passais par hasard, dis-je. Seul debout avec Zouf et sans qu'il fût possible de décider qui était le chef et qui son lieutenant, Louis exhortait la troupe.

*

Du même Louis, souvent le plus agressif, parfois le plus gentil des quatre, c'est selon (ma mère dit qu'il a *les lèvres trop près des dents*), j'apprends ce qu'est mon métier : avocasser, décortiquer les articles du Code comme le chardonneret ses chardons et surtout faire semblant :

– Au fond, Papa, vous jouez tous la comédie au Palais.

Ma réticence ne le désole pas.

– Ben oui, quoi ! Si tu défends l'accusé, pour toi il n'y a plus de coupable ; si tu défends la partie civile, il n'y a plus d'innocent. C'est comme en politique : avec moi, t'es blanc ; contre moi, t'es noir.

D'autres remarques, plus modérées, de la fratrie m'ont laissé entendre que ne jouissaient pas à ses yeux d'un crédit considérable robins, annonceurs, édiles, profs et autres phraseurs ne produisant rien, sauf de la parole.

*

Il est vrai que les jeunes n'en abusent pas ou, du moins, pas de la même façon, car leur peu de discours fait parfois beaucoup de bruit.

Toujours éclectiques, nos musicos ! Mais Zouf maintenant ne connaît que le rock et le new-wave. Avec deux copains, ils forment un trio disposant d'une batterie, d'une guitare et d'une basse. Il officie d'ordinaire dans la cave des Duchemont, enfouie sous une maison entourée d'un jardin suffisant pour étouffer un excès de décibels. Mais il aime se produire et s'est fait déloger de cinq ou six greniers où il avait trouvé asile.

Quand il joue à la maison ce n'est pas de tout repos. Je ne suis pas hostile, je peux m'intéresser (c'est dans le domaine de la musique que l'éducation de nos jours fait le mieux boomerang sur l'éducateur). Je réalise bien que pour ce petit groupe le rythme est la mesure d'un temps qui n'a rien à voir avec celui des pendules et s'apparente bien davantage à celui des battements de cœur. Ma présence (rare, tout de même) gêne. On n'ose pas me chasser, on me fait au besoin la leçon. Comment puis-je ignorer, par exemple, qu'à l'heure du reggae la soul music est aussi dépassée que le disco fadasse, encore débité comme fond sonore dans les supermarchés ? On ne me le dira pas, je suis chez moi, mais je sais bien que dans le rock, nous, les antiques, sommes provoqués, moqués ou pour le moins rudement oubliés. Et pourtant, parce qu'ils s'y prouvent, les exécutants peuvent se contredire et, si je suis resté dans mon bureau, me proposer l'écoute. Yane, ambassadrice, entrouvre la porte :

– Hé ! Tu descends ?

En bas tourne un disque pilote sur quoi je ne puis qu'une fois sur dix mettre un nom. Parmi les riffs et les solos, que retient-on ? Que va-t-on repiquer ? Quel arrangement est susceptible d'en sortir, fruit d'une demi-création ? Point de partitions. La mémoire en tient lieu, aidée par un tympan qui trouve moyen d'avoir la sensibilité d'une antenne et la résistance d'une peau de tambour. Avec son tempo binaire, martelé, le rock, ça marche à l'énergie, ça ne donne pas aux mots, si répétitifs, si violents qu'ils soient, l'importance des notes, ça réduit au minimum l'expression verbale. Mais les vitres en tremblent.

– Ce chambard ! Ils en ont après qui, après quoi ? m'a demandé Tio, auditeur occasionnel secrètement ravi d'avoir l'impression de récupérer l'ouïe de ses vingt ans.

Nos petits-bourgeois, il faut bien le dire, sont loin d'atteindre à l'authentique rogne des rockers de banlieue qui ont, eux, plus de raisons de se plaindre de l'univers. Après quoi en ont-ils ? La maison même leur sert de caisse de résonance. C'est bien là qu'en cette époque d'interminables études ils vivent douillettement une relation infantile de gavés avec leurs gaveurs. Ils voudraient bien se pousser plus vite, plus loin. Alors ils poussent la sono pour atteindre l'assourdissant, pour secouer les murs comme s'il s'agissait de faire tomber ceux de Jéricho.

Il va de soi que c'est moi qui ai des ennuis avec les voisins, voire la surprise d'être convoqué au commissariat.

*

Nous en aurons d'autres. Je me suis étonné, voilà peu, d'une série de questions posées par Yvonne :

– Je m'appelle bien Yvonne Marie Aude ?

– Exact ! a dit Mariette.

– Est-il vrai que, sur les papiers, on doit souligner le prénom usuel ?

– Exact.

– Donc, si ça me chante, je peux me faire appeler Aude, c'est moins commun qu'Yvonne.

Depuis huit jours, au téléphone, on demande Aude ou Yvonne : j'ai l'impression d'avoir une fille de plus.

*

C'est une grande, Yvonne, et c'est une enfant. Elle peut tenir sa place dans le plus sérieux dialogue et, l'instant d'après, se préoccuper de futilités.

Tôt le matin, je descends, je jette un coup d'œil dans la salle, j'y découvre Yvonne en pyjama qui coud ou, plus exactement, qui faufile, à grands points maladroits, un bas de pantalon de jean, acheté hors choix maternel. On peut s'étonner de la voir tirer l'aiguille, tenue par elle pour un affreux symbole des révolues spécialités féminines. Mais le jean était trop neuf, trop large, trop long. Contre le neuf je connais le traitement : un séjour dans l'eau chaude légèrement javellisée qui dissout l'apprêt et donne le coup de vieux requis pour faire jeune. L'excès de largeur ne fait pas problème : les ceintures sont faites pour resserrer jusqu'à ce que l'ardillon s'engage dans le dernier trou. La longueur est plus gênante et mérite un revers. Mais attention ! En dedans, s'il vous plaît. En dehors, ce serait minable : il n'y a que moi pour tolérer une espèce de gouttière au bas de mes jambes. À vrai dire, même intérieur, un revers cousu est hérétique : il devrait être simplement retourné à la main autant de fois que nécessaire. Mais Yvonne en a marre de se baisser, elle ose faire un ourlet.

C'est tout ce qu'elle se permettra et pour le petit déjeuner j'aurai devant moi trois porteurs de l'ensemble quatre pièces : jean dernière version, baskets, blouson, tee-shirt, ce dernier seul ayant droit à la variété et pouvant édifier les populations sur les voyages du porteur ou de ses proches, quand ce n'est pas sur ses accointances. La tour de Toronto pointe ainsi entre les seins d'Yvonne-Aude (cadeau de Gilles) ; un ballon ovale sur le sternum de Nicolas chante la gloire de Béziers champion de France ; l'arbre, figurant sur celui de Louis, rappelle qu'il se veut écolo.

Yane arrive la dernière : en petite robe palpitante, couleur ivoire, à ceinture brodée, d'inspiration Lapidus. Elle vient d'abandonner la conformité pour la mode. Louis bougonne :

– Elle ne pourrait pas se fringuer comme nous, celle-là !

*

Yane ne se fringue pas : elle s'habille, et on peut le dire, au figuré, de tout son comportement : ce qui n'est pas sans lui créer des difficultés avec Yvonne fort encline à taper du pied, à clore une discussion par la rengaine adolescente :

– Tu ne peux pas me comprendre…

Yane, non. Elle n'est pas plus que les frères et sœur raccrochée à notre monde, puisqu'elle est du suivant. Mais connaissant son déficit, elle tient à ses atouts : réserve et raison. Elle excuse, elle défend âprement Louis, dont l'échec est bien plus mérité que le sien. Mais elle ne s'associe jamais à ses fureurs, à sa mise en cause des profs et des parents, à cet autre refrain si courant chez les jeunes lassés d'encouragements :

– Si c'est pour vivre comme vous, en finale, pas question de me forcer !

*

Si ça se trouve, le bouleversement des rapports sociofamiliaux s'étant produit depuis leur naissance, ils connaîtront une stabilité qui leur fera vivre, *en finale*, une vie pas tellement différente de ce qu'est devenue la nôtre. Mais allez donc leur dire ! Ils sont persuadés d'être les seuls auteurs du changement, comme leurs copains, dont l'importance ne cesse de grandir et la bouche de proférer des jugements plus écoutés que les nôtres.

Notons toutefois que les deux douzaines d'amis plus amis que les autres et formant un groupe peu ouvert à de nouvelles recrues ont tendance à se répartir en petits comités: d'après le niveau d'études (ils se nomment eux-mêmes les *plus* et les *moins*), d'après l'agressivité, d'après la couleur qui commence à poindre, bien qu'ils s'en défendent, et qui oppose déjà nettement Nicolas et Louis dans leurs commentaires du journal parlé.

*

En fin de compte, s'ils sont avides de sorties, s'ils essaient d'en obtenir davantage, s'ils sont plus joyeux d'ouvrir la porte pour mettre le nez dehors que, dans l'autre sens, pour le remettre dedans, la maison reste bien leur maison.

Certes, ce ne sont plus des cajoleurs; les effusions ne sont pas leur fort; leur mère en soupire. Mais quoi? Voilà quinze ans, ses enfants, ils avaient des volumes à la taille de ses bras: durant des années elle n'a eu qu'à se baisser, enveloppante. Aujourd'hui son aîné, pour ne citer que lui, ayant en sept mille trois cents jours accru en moyenne de neuf grammes quotidiens son poids de naissance, elle est un peu devant lui comme la fauvette embarrassée d'un gros enfant coucou. Bien qu'il fasse comme l'angélus partie des sacramentaux, le salut filial au retour du lycée est court:

– B'soir, M'man!

Les filles, dont le décimètre carré de joue ne carde pas, sont à peine plus douées pour l'osculation. Les becquées de baisers de jadis, n'y pensons pas: halte au mièvre! Elles tendent une pommette, presque jamais l'autre. Quant aux garçons, quand deux bras leur barrent le passage, ils s'inclinent brièvement, offrant un peu n'importe quoi: le haut du crâne, le menton, la tempe. Leur mère, c'est Notre-Dame. Mais ce qu'ils lècheraient volontiers, désormais, serait plutôt de la minette.

Il n'y a pas de quoi se morfondre. Il y a seulement de quoi être énervé : par les appréhensions d'Yvonne bardée de mémentos à l'approche du brevet, par l'air avantageux de Nicolas disposant des clefs de sa grand-mère, apparaissant, disparaissant, comme s'il était devenu le client de la pension Bretaudeau ; par les frictions, les chamailles entre ceux-ci et ceux-là ; par les divergences conjugales que soulevait une courte science de manier des ados ; par un zona de Mamoune, par la perte de mon portefeuille, par l'élection ric-rac de Giscard avec la voix de Mariette et sans la mienne.

Mais les examens survinrent et Louis se chargea du bouquet.

*

Déjà vexé de s'aligner avec sa sœur de deux ans moins âgée, il était parti passer l'écrit avec elle. Plus que d'ordinaire il avait cet aspect malingre, rétréci, pas content de lui, *bobo Maman je suis pas beau*, qu'il renie par moments d'un tour de cou pour faire le coquelet. En principe, après les épreuves, il devait se retrouver avec toute la bande des troisièmes pour la petite bouffe d'usage et les commentaires sur les épreuves qui coupent l'appétit de quelques-uns.

Personne ne l'a revu : pas plus l'après-midi que le soir

dans le reflux des groupes discutant de plus belle et s'amenuisant à chaque coin de rue pour s'égailler tout à fait dans la ville et rejoindre avec des mines diverses des parents avides de pronostics. À dix-neuf heures, il n'était toujours pas là, et l'euphorie régnant dans le vivoir depuis la rentrée d'Yvonne satisfaite de ses copies faisait place à une anxieuse irritation quand le téléphone sonna. Je sautai sur le combiné, Mariette sur l'écouteur :

– Ici, Mathilde. Ne vous inquiétez pas. Louis a rendu une copie blanche et s'est aussitôt défilé pour gagner Liré en auto-stop. Dans l'état où il est, mieux vaut qu'il couche à la maison.

– Quel état ? cria Mariette.

– Il a fait les dix derniers kilomètres à pied.

Sur sa voix en brochaient d'autres, à peine distinctes : celle de Rose ou de Myrtille répétant : *Dis-leur, mais dis-leur donc*, et celle de Louis, bien reconnaissable car elle est en pleine mue et s'enroue à merveille : *Ils ne m'écouteront pas, ils ne m'écoutent jamais.* Je lançai :

– Pourquoi Liré ? Excusez-nous de cette irruption et passez-le-moi, s'il vous plaît.

– Je voudrais bien, reprit Mathilde, mais il n'ose pas. Il est effondré sur le canapé, il nous a débité son affaire, il dit que je l'expliquerai mieux que lui. En gros, il veut tout arrêter comme sa sœur...

La moutarde commençait à me monter au nez. Yane s'était confiée à ses parents ; Louis allait s'épancher dans le giron d'une étrangère.

– Apparemment, continuait Mathilde, pour lui rien ne va. Il dit, ce sont ses propres termes, qu'il s'entend mal avec lui-même, qu'il a souvent envie de porter plainte contre ce Bretaudeau-là, qu'il est incapable de le comprendre comme d'être compris...

Ce n'était pas là le style de Louis. Elle enjolivait, la brave dame, très satisfaite d'enchaîner :

– Bref, il se sait incapable de ce que vous espérez de lui, il n'a pas voulu échouer au brevet comme il échouerait forcément plus tard au bac artistique que vous auriez en tête...

Il a seize ans, il n'est plus obligé de continuer des études, il aimerait travailler tout de suite. Il regrette que La Rousselle, où ses grands-parents prospéraient dans la graine de fleurs, ait été vendue, et s'il est à Liré, justement, c'est qu'il ferait bien, pour voir, un petit stage chez nous pendant les vacances…

Changement de voix. Ernest intervenait :

– Il peut faire un BEPA, option horticole, s'il persiste.

Dans la forêt des sigles scolaires je ne connaissais pas celui-là. Mais le ton, ah, le ton ! Rien de mieux pour exaspérer l'oreille d'un père en difficulté n'étouffant pas de gratitude envers le conseilleur, autre père, à qui je souhaitais quelques ennuis avec ses petites filles modèles. Pour son bien. Pour lui apprendre qu'aux yeux de nos enfants les parents d'autrui sont toujours meilleurs que les leurs. Plus modernes, n'est-ce pas ? Plus coulants. Plus disponibles. Je devais fumer de quelque part. Mariette et les trois non-évadés me regardaient avec inquiétude, tandis que de son petit Liré, là-bas, le Gouveau s'autorisait à me faire des propositions :

– Un séjour à L'Aubaie, au calme, pourquoi pas ? Si ça peut vous rendre service, nous mettons le garçon à l'épreuve, nous lui montrons que la campagne, pour devenir maraîchère, s'arrose aussi de sueur… Votre avis, je vous prie ? Je vous le ramène ? Ou je le garde ? Un mois, par exemple…

Je flottais. Garçon clamant qu'il arrête ses études n'a souvent que l'intention de nous éprouver. Mais notre refus, à l'encontre d'un nullard, éternise un conflit. Je flottais, je bouillais : la rage ne compte pas parmi les meilleurs facteurs d'inspiration :

– Qu'il reste ! Merci. Je passerai demain avec Mariette, hurla Me Bretaudeau.

– On en discute, protesta Mariette.

Mais j'avais déjà raccroché et, parti dans le couloir, je le talonnais d'un sec va-et-vient ; je me payais la plus belle rogne de ma vie. Trop est trop. Qu'avaient-ils donc tous en ce moment ? Champion du lot, Louis atteignait le sublime. Sécher son examen, foutre le camp, nous mettre en accusation, s'enfoncer dans le terreau, tout ça frisait l'absurde. Nicolas, Yvonne, Yane, très gênés, encadraient leur mère, elle-même ulcérée et m'observant d'un œil noir. J'essayai de me contrôler. En vain. Je criai :

– Tu vois ! Je croyais avoir mis au point un système fondé sur la confiance et sur la discussion...

Impossible d'en dire davantage. Je me sentais gonfler. J'entendis vaguement Mariette répéter :

– Calme-toi, voyons, calme-toi...

Un bras de Yane fut plus éloquent, m'attira dans la salle, me poussa dans le fauteuil où je me mis à ruminer... Mais où sont les pères d'antan ? Les obéis au doigt et à l'œil ? Les respectés de la triade : mon Dieu, mon patron, mon papa ? Les vrais Joseph, nourriciers absolus, sans salaire de Madame, sans assurances sociales, sans allocations ? Les voix du foyer sans concurrent prof, sans radio, sans télé ? Les compétents n'ayant jamais à se recycler, œuvrant à domicile dans l'admiration filiale au lieu de disparaître chaque jour pour ramener en fin de mois des bouts de papier appelés chèques ?

Pour une fois, j'aurais souhaité être mon grand-père : l'auguste Nicolas Aufray, oracle s'exprimant au milieu de sa barbe et de la considération générale. À défaut j'aurais volontiers, moi, l'avocassier, endossé une simarre de juge domestique. Toque haute ! Et bavette au cou, pour débiter :

Attendu que le cadet Bretaudeau, personnage ayant bénéficié du même vécu familial, s'en distingue de façon déplorable,

Attendu qu'au lieu de rembourser seize ans d'affectueuses attentions à son égard il semble les récuser,

Attendu que, pour l'exemple, il est de notre devoir d'envisager d'autres méthodes, plus fermes, et de statuer en cette affaire sans hâte, mais sans faiblesse,

Par ces motifs, Nous, Abel Bretaudeau, décidons...

*

Décidons quoi ? J'éclatai de rire, non moins furieux, mais contre moi. En fait de procès, le mien était aussi à faire.

Un enfant, d'abord, a-t-il quoi que ce soit à rembourser à ses parents ? Le vécu familial peut-il être considéré comme le même pour un fils doué et pour un autre qui ne l'est pas ? Même en me méfiant des interprétations du genre psy, il fallait vraiment se demander si l'échec, chez Louis, n'était pas un symptôme, plus qu'un effet, et si, peut-être, dans son comportement il cherchait son remède. Réussie, la famille Bretaudeau ? Voire ! On gâche très bien l'un des siens sans le vouloir, sans le savoir et, qui pis est, en l'y faisant consentir. Dans le choix d'une carrière artistique, qui parlait ? Louis et moi ? Pour la satisfaction de qui ? La pression de l'espoir est telle que, me disant ces choses, j'espérais ne pas me croire. On règne, démocratiquement, mais on règne, en se consultant d'abord, en se disant (et ce n'est pas faux, ça doit peser dans la balance) que des dispositions flatteuses se doivent d'être encouragées plus que d'autres. L'acteur d'un scénario d'avenir en est rarement le seul auteur et j'aurais dû, à cet égard, raviver mes souvenirs.

Et raviver mes principes. Que chantait-il, Abel? *Je croyais avoir mis au point un système...*

Peut-être les Tables de la Loi ! Il y a bien des moyens pour instaurer mon ordre, pour que ma volonté soit faite par les miens, puisque après tout je leur donne le pain quotidien et leur pardonne leurs offenses à condition qu'ils ne m'aient pas offensé. Rougissons : j'ai oublié le pluriel. J'ai décidé brutalement : *Qu'il reste !* Par dépit. Sans consulter personne. Et en ce moment, que fais-je ? Je tire une lippe, parce que Yane vient de tourner le bouton, parce que j'entends un juriste gloser sur l'adoption prochaine d'un projet fixant désormais la majorité à dix-huit ans. Tiens donc ! Trois ans de moins d'autorité paternelle... Pardon ! Je voulais dire : d'autorité parentale.

Dernier sursaut. Mariette s'affaire dans la cuisine en pestant contre le retard, contre le rôti brûlé. Nicolas siffle là-haut le succès de Johnny : *J'ai un problème.* Yvonne téléphone à un Gaétan que je ne connais pas et qui semble pourtant être de ses familiers. Yane vient s'asseoir sur le bras gauche de mon fauteuil et se passe la main dans les cheveux. Je lâche encore, à mi-voix :

– Mais enfin, pourquoi Liré ?

Yvonne, qui a raccroché, vient s'asseoir sur le bras droit du fauteuil. Ai-je tort de croire que les deux sœurs se regardent d'un air entendu ?

Yvonne a son brevet et Nicolas son bac, mention bien. Ces deux succès balancent ce qui n'est pas forcément deux échecs. Yane dit tranquillement :

– Je m'arrangerai de ce que je suis.

Des idées sur cet arrangement, sa grand-mère en a, provenant d'un très vieux stock :

– Après tout, c'est une jolie fille...

Autrement dit : elle trouvera preneur. Quant à Louis, après lui avoir apporté du linge, nous l'avons laissé à L'Aubaie : en principe jusqu'à la fin de juillet. Il paraissait enchanté ; il m'a même remercié et je m'en serais presque félicité, comme Mariette, si Ernest n'avait arboré le sourire protecteur de celui qui sait comment il faut prendre les jeunes.

*

Ensuite nous nous sommes dispersés, suivant le conseil de Mamoune, pourtant navrée d'en être victime :

– Ça fait du bien de se reposer les uns des autres.

Nicolas, moitié à mes frais, moitié à ceux de Gilles qui voulait le récompenser de son bac et l'accompagner dans un circuit organisé des États-Unis, s'est envolé le premier ; puis les filles, expédiées en séjour linguistique dans une famille écossaise. En attendant leur retour et la fermeture de L'Angevine nous donnant droit en août aux trempettes générales prévues cette fois à Saint-Brévin, nous sommes restés seuls à Angers, avec l'oncle et la grand-mère, dont le commerce exclusif n'est pas désopilant ; et surtout, rue du Temple, seuls avec nous-mêmes, parents redevenus simples époux au lieu de l'être par l'intercession des Quatre, et en somme bêtes comme deux serre-livres quand il n'y a plus de bouquins entre eux.

Alors la poste est devenue lente. Certes il y avait le téléphone, dont on peut se demander, rabâche souvent Tio, si au grand dam de son œuvre Mme de Sévigné n'aurait pas été heureuse de l'employer plutôt que sa plume pour dire de sa vivante voix des gentillesses à Mme de Grignan. Mais glousser à distance, quand les coups de fil pour Aberdeen et à plus forte raison pour San Francisco facturent méchamment vos tendresses, oppose le cœur à la bourse. Tant pis ! Mariette, qui s'était en principe accordé deux communications par semaine, attendit chaque jour l'heure idoine. Réclamant Nicolas dans un sabir vaguement anglo-saxon, sa conversation, de fuseau 1 en fuseau 9, à plus d'un dollar la minute, ne fut pas plus écourtée que l'autre, interpellant les filles aux bords les plus septentrionaux de la mer du Nord. Ce qui n'empêcha pas de longues lettres, réclamant des précisions sur les paysages, la météo, les menus, les mérites des hôtes, de partir des bords de la Maine et d'arriver de plus rares cartes postales au texte bref, mais à l'avers glorifiant le Golden Gate ou les exploits des pêcheurs de truites de la Dee.

1975

Tout va bien. Yvonne s'est cassé une jambe en jouant au tennis et trotte sur deux cannes anglaises, genou plié, offrant aux regards son plâtre couvert de signatures. Je la voiture au lycée en même temps que le fils d'une voisine qui, elle, la ramène le soir.

Tout va bien, il faut le dire vite. Mais nos problèmes ne sont pas isolés ; ils sont même déplorablement ordinaires. À la suite d'une conférence du groupe Démocratie familiale, nous avons découpé dans le journal l'article qui en rendait compte et reproduisait son code de lois, jusqu'ici non écrites, à l'égard de ce qui est appelé *la population du quatrième lustre*.

Je reproduis ce catéchisme :

*

Tu te méfieras plus que jamais du péremptoire, tranquillisant verbal ne soignant que ton humeur.

Tu prendras garde à ne pas t'entortiller autour de ton jugement comme un liseron sur un piquet.

Tu ne tiendras pas l'ado comme un enfant gagné ou, au contraire, comme un enfant perdu.

Tu ne t'étonneras pas qu'il change, puisque c'est la règle à tout âge, le bébé ou le vieillard, notamment, changeant plus vite que lui.

Tu admettras que le même jour il puisse être en fête de ses progrès ou en deuil de son enfance.

Tu admettras aussi qu'il joue fortement son je.

Tu lui répéteras que, dans le respect de la permission de minuit (deux fois par semaine), il ne s'agit pas d'instituer un rationnement de temps et d'espace, mais de rester sensible à ses risques.

Tu te répéteras, de ton côté, que la famille ne lui suffit plus et qu'il n'en a jamais eu besoin davantage.

Tu subiras le reniement de la « dette contractée à ton égard » en te souvenant de l'insupportable chantage à la gratitude des parents de jadis.

Tu ne laisseras pas pour autant croire à quiconque, malgré les médias cherchant à nous en convaincre, que le comportement des jeunes se soit aggravé et qu'ils méritent leur réputation.

Tu resteras présent, quelle que soit la tension ; tu résisteras à l'envie de te réfugier dans ton travail.

Tu verras venir et revenir, d'une âme égale, les déceptions, les désagréments dont tout enfant bien constitué réserve la primeur aux siens plutôt qu'aux autres.

Enfin tu ne t'affoleras pas de manquer à ces préceptes deux ou trois fois par jour...

*

Je ne m'affolerai pas. Il y a de la mise en accusation indirecte là-dedans, mais j'y souscris.

Non, je ne m'affolerai pas : le père-et-mère, entité singulière, n'a pas fini d'en voir. Mais il en a tant vu ! Franchement, le nursing, je n'aurais pas envie d'en retrouver les braillements ni l'odeur. Et la patience nécessaire en ce moment, en retrouverais-je la moitié pour supporter de nouveau l'énorme bêtisier des comportements infantiles ? Ni l'enthousiasme ni le découragement ne sont notre fort. On fait mieux que les Quatre ? Mais on fait beaucoup moins bien.

Dans la nuit, il m'a bien semblé entendre des pas : ce genre de pas qui ne veulent réveiller personne, qui cherchent à s'amortir sur le bout de la semelle, mais sont trahis par un craquement de latte ou un petit choc de talon sur l'arête d'une marche. Comme les filles se sont couchées en même temps que nous, comme Nicolas dort à sept cents kilomètres d'ici dans un chalet de club à Val-d'Isère, il ne peut s'agir que de la rentrée tardive de Louis, profitant à fond du bref congé de février.

– Deux heures ! murmure Mariette, renseignée par son réveil lumineux et replongeant aussitôt dans le sommeil.

Il serait préférable de me lever pour confondre le fautif pris sur le fait, au lieu de récriminer demain en invoquant le seul témoignage d'un bruit. Mais lové dans ma chaleur, je me contente de ruminer. Décidément Louis me tracasse. Rentré de Liré dans des conditions pas claires, après un sec coup de fil de Mathilde, suivi d'un gel de nos relations avec les Gouveau, il nous a suivis à Saint-Brévin, bougon, replié, ronchonnant dès que s'allongeait une randonnée. Ce qu'il ferait à la rentrée, il n'en savait rien. Pas question en tout cas de retourner « en boîte ». À nous de l'inspirer en lui proposant quelque chose qui fût à sa portée. Dans quel genre ? Bof ! C'était à voir.

Il avait depuis cinq ans désorienté, avec nous, tous les orienteurs. Nous étions près de l'affolement, et l'urgence risque toujours de gâcher un choix. Tio n'arrangeait rien en lui serinant :

– Chichetête ! Tu n'as qu'une partie forte et tu la refuses.

– Musique et dessin, j'en fais par plaisir, rétorquait le garçon, et vous voulez que je m'emmerde à en faire un métier. D'ailleurs je n'ai même pas le brevet et il faut un bac pour entrer aux Beaux-Arts.

Citer ce nom fournissait quand même une indication. Il savait très bien qu'il existe des écoles privées, moins regardantes. Il donnait l'impression de vouloir nous contraindre à le contraindre, afin de pouvoir, en cas d'échec, s'en prendre à nous. Finalement, ma mère, qui n'intervient jamais, le prit à part. J'ignore ce qu'elle lui dit, mais il avait moins de raisons de se buter contre elle. Par chance accepté, il se laissa inscrire au cours David.

Depuis, rare à la maison, traînant beaucoup, il apparaît le plus souvent juste avant le dîner, tantôt muet, tantôt caustique, jamais commode. Il s'isole souvent au grenier, seul endroit où, Yane étant allergique au tabac (c'est même pour ça que depuis dix ans j'ai abandonné la pipe), il lui est possible de fumer. Il téléphone beaucoup et, de préférence, à voix couverte. Il a honte de son vélomoteur. Il m'a bien dit vingt fois :

– Et ma moto ? J'ai l'âge. Et j'ai les sous...

Il les a en effet sous la forme de trois maigres titres nominatifs laissés par Reine, sa feue tante et marraine, et intouchables jusqu'à sa majorité. Je comprends bien. Une moto, Louis dessus et le tout vrombissant devant l'incomparable frère, pauvre piéton, ça ne ferait pas que du vent.

*

À neuf heures du matin nous allons savoir que, dans un domaine au moins, il a pris sur son aîné une longueur d'avance.

Pour tendre l'oreille, sa mère est déjà remontée deux fois. À la troisième, toquant de l'index, elle obtient quelque chose comme *Ouais* ! Elle entrouvre. Elle fait : *Oh* ! Elle redescend quatre à quatre, effarée :

– Il y a deux têtes dans le lit !

Le geste d'Yvonne éteignant vivement la télé et le coup d'œil expédié à Yane me font dans la seconde classer la discrétion parmi les vertus incertaines et supposer que mes filles ont une idée précise sur l'identité de la tête surnuméraire. Il faut y aller. Il faut monter, suivie par ma légitime épouse, essoufflée, perdue dans sa robe de chambre :

– Je n'ai pas bien vu, chuchote-t-elle. Il me semble que c'est une blonde... Mais que faire maintenant ?

Très juste, l'adverbe de temps ! Comment est-il convenable *maintenant*, en 1975, de réagir, de juger une situation inimaginable quand nous avions vingt ans ? L'humeur domine la perplexité sans perdre conscience du ridicule où nous voilà. En fait de mœurs, il n'y a plus de consensus : c'est à chacun sa loi. Mais si la loi, c'est nous, Mariette, je t'écoute, je m'écoute... et je n'entends rien. Que dire ? Que faire ? Quelle attitude prendre ? L'indignation ou l'indulgence, la complainte ou la compréhension ? Je ne suis pas sûr de mon sentiment, de ce qui m'offusque vraiment. La chose ? Mais la chose, à trois cents mètres d'ici, dans un des petits hôtels qui font face à la gare, pour beaucoup serait presque innocente, tout au plus imprudente et révélant trop tôt un jeune mâle accompli. Est-ce la manière qui me choque le plus ? Ou le lieu, où ma mère m'a conçu ? Ou la peur de paraître complaisant aux parents de la fille ?

Quelle fille, au fait ? Les miennes, en bas, se sont avancées jusqu'au pied de l'escalier et, le nez en l'air, s'intéressent. Aspirons. Expirons. Traversons le palier. Tambourinons. On me crie :

– Ben, entre !

Me voilà dedans. Sur le lit de Nicolas, à droite, il y a de quoi prouver que la lingerie féminine s'est bien réduite : au moins autant que ce que nos grand-mères appelaient la morale. À gauche, sur les quatre-vingts centimètres de largeur du lit de Louis, ils sont deux en effet : assez minces pour y tenir. De la fille, draps tirés jusqu'au menton, je ne vois guère que la tête. En dessous elle est peut-être nue, comme Louis, assis et dont on peut compter les côtes. Son absence de gêne est gênante. C'est, glorieux, qu'il me lance :

– Bon ! Autant vous l'annoncer comme ça.

Derrière moi, Mariette étouffe un hoquet et gémit :

– Seigneur ! Je comprends pourquoi Mathilde ne me téléphone plus.

La blonde, c'est Rose, la cadette des Gouveau : ce que Mathilde a fait de mieux si on la compare à son aînée, qui, à la loterie des gènes, en a tiré qui codent moins pour la chair que pour l'os. Celle-ci tient de son père des yeux verts et des lèvres gourmandes qui murmurent décemment :

– Excusez-nous. Depuis six mois…

– On ne pouvait plus se voir, achève Louis. Aidez-nous !

L'innocence, je vous dis ! Remettons-nous, ma femme. De graves sociologues ne professent-ils pas que la continence quasi monastique des jeunes n'était pas saine, que la permissivité conduit à une « nouvelle culture » à l'usage des plus de quinze, peut-être même des plus de treize puisqu'au lendemain de leur anniversaire ce que le Code réprimait la veille cesse d'être un viol consenti.

– Vous aider… Vous aider… bredouille Mariette que suffoque la requête.

Louis n'a plus l'air aussi faraud : il est tout envahi de chair de poule. Moi, je m'étonne secrètement : *Pourquoi lui, qui n'est ni le plus calé ni le plus beau* ? Et je m'interroge : *Moi, j'avais quoi ? Vingt ans, quand j'ai rencontré Odile. Trois ans d'écart, ça doit devenir une norme, puisque la majorité va s'abaisser d'autant.* Mais je suis si mal à l'aise que j'écourte la scène en jouant, malgré moi, les dignes :

– Vous vous rendez compte, j'espère, de la situation dans laquelle vous nous mettez. Habillez-vous. Je devais sortir. J'attendrai vos explications.

*

Lorsque le petit couple descend, j'ai déjà annulé mes rendez-vous de la matinée. Louis s'assied devant un bol de chocolat qui fume ; Rose devant un autre : c'est la solution que Mariette, dans un chuchot, m'a conseillée pour éviter de faire tribunal. Entre deux gorgées, c'est tantôt Rose et tantôt Louis qui vont parler… L'horticulture ? Un prétexte, bien sûr, pour se rapprocher de Rose, elle-même abusée, au début, puis amusée, puis touchée. Bref, à la fin de juillet, Mathilde, levée trop tôt, a surpris Louis sortant trop tard, en slip, de la chambre de Rose. D'où le renvoi. D'où le décret : ma fille, ça s'arrête là ! D'où le silence, afin que rien ne s'ébruite, le scandale pour Ernest étant pire que le reste. Mais il n'y a plus d'exil dont ne se rit le téléphone. Si celui de la maison est surveillé, il suffit d'appeler à heure fixe d'une cabine publique. Élève de première au lycée d'Ancenis, Rose utilisait celle de l'établissement. Mais six mois, c'est long. Ni Louis ni Rose n'en pouvaient plus. Alors, sachant qu'il y avait boum chez Zouf, hier soir, tard, alors qu'on la croyait couchée, Rose a filé en douce et rejoint Louis dans le jardin des Duchemont où elle a laissé sa bécane.

– Pourquoi choisir la provocation ? dit Mariette.

Vive réplique de Rose.

– Quel autre moyen ?

Pas de doute : c'est elle qui mène le jeu. Mais il y a dans l'air, tout à fait respirable, une ferveur qu'on ne rencontre pas forcément chez des jeunes dont les sens ne craignent pas de précéder les sentiments. Cependant, laissant à Mariette le soin de quitter l'éthique pour la pratique, notamment pour s'inquiéter des précautions prises et apprendre, aïe ! qu'on a surtout pris des risques, je me lève. Le téléphone sonne. Il se pourrait bien que ce soit Mathilde.

*

C'est Mathilde. Encore heureux qu'elle ait préféré le fil à la route ! Elle s'excuse de nous déranger. Elle espère que nous allons bien. Elle se gratte la gorge. Elle regrette son silence. Elle pense qu'elle aurait dû nous avertir d'un incident que nous avons peut-être appris par ailleurs. Elle a justement un nouveau problème avec Rose, dont elle a constaté au réveil que la chambre était vide. Mon Dieu ! Elle est aux cent coups. Elle a téléphoné partout. Les petites Chonard dansaient chez Zouf et très tard, hier soir, ou plutôt ce matin, très tôt, elles auraient aperçu Rose s'éloignant au bras de Louis...

La porte de Mathilde doit être ouverte, car ses canards assurent un fond sonore. J'aurais pu l'interrompre, la rassurer sur le sort enviable de sa fugueuse, mais les détours qu'elle prend pour entamer le procès m'agacent. Avant que j'ouvre la bouche, d'ailleurs, Ernest a pris le relais et lui, il met les pieds dans le plat :

– Abel, soyons nets ! Je ne sais pas où est Rose, mais je suis sûr que votre petit salaud de fils a dû la sauter quelque part.

En effet ! Mais précisons :

– Votre fille s'est même glissée chez moi cette nuit pour lui faciliter la tâche. Vous imaginez notre surprise, ce matin.

Ernest beugle. Mon bon à rien, mon gringalet dont on se demande pourquoi Rose s'est toquée, il l'avait accueilli, bonne pomme ! et voyez comme il en a été remercié. Il l'a déjà fichu à la porte d'un coup de pied au cul, il est prêt à recommencer. Sa fille ! Qu'on lui ramène sa fille ! Et vite. Et sans esclandre...

Bon ! Je vois que chez les Gouveau dont les principes ont à peu près la même valeur que leurs copies de meubles anciens, ce qui se sait aggrave ce qui se fait. L'esclandre, c'est même là-dessus qu'elle joue, la petite. Elle vient d'abandonner son bol et sans façon me prend l'appareil des mains. Prudence ! Des pères, même s'ils s'affrontent, restent de la même époque et peuvent décider pour leurs filles ce qui convenait à leurs mères. La confusion n'altérant pas chez elle une forme nouvelle de la candeur, Rose lâche avec une gentille cruauté :

– Allons, Papa, je suis là. Ne crie pas. Ça sert à quoi ? J'ai couché avec Louis de façon à ce que ça se sache et que tu comprennes que tu n'empêcheras rien. Où est le mal, d'ailleurs ? J'ai l'âge.

Le même argument que Louis rêvant d'enfourcher une moto : l'âge ! C'est presque une serinette : *Je suis habilitée par ma nubilité*. La discussion entre Ernest et Rose va durer un quart d'heure et me confirmer dans mon opinion : Rose sait ce qu'elle veut. Je me suis replié, laissant la porte ouverte pour que nous parvienne la voix flûtée, tenace d'une fille qui manifestement est en train de faire reculer son père et semble aboutir à l'ébauche d'un accord :

– Entendu ! Tu ne veux ni voir ni savoir. Je rentre, Papa. Mais désormais je suis discrètement libre.

*

Nous avons cillé, Mariette et moi, avant de nous consulter du regard. L'attitude d'Ernest, qui condamne et consent, serait-elle plus hypocrite que la nôtre si, moins hostiles, nous admettions sans approuver ? Sûrement pas. Mais soufflez-nous-en une autre ! Dès qu'intervient l'amour – ou ce qui est censé l'être – toute gouverne désormais se ressent comme abusive. Cependant ce n'est pas notre rôle d'ignorer ce que nous ne pourrions de toute façon pas empêcher et qu'il vaut mieux ne pas quitter des yeux. Mariette me devance :

– Moi, dit-elle, je préfère vous recevoir, mais pour l'instant, Rose, au rez-de-chaussée.

Une fois de plus remettons-nous en question. Mariette répète volontiers :

– Nous ne sommes pas négligents.

Non, mais notre attention, qui se relâche peu, a de bonnes œillères. Je n'ai pas contredit ma femme quand elle m'assurait, pas plus tard que le mois dernier :

– Question sexe, les Quatre ne semblent pas précoces. Tant mieux ! J'ai horreur des parents qui se félicitent d'avoir des jeunots qui jouent à jouir.

Depuis, Louis nous a édifiés. Des questions nous travaillent. Que se passe-t-il exactement entre Nicolas et Julie Chonard ? Le terrible programme de la première année de PCEM ne lui laisse guère de temps pour sortir avec elle et l'expression *C'est une copine* n'a pas été remplacée dans sa bouche par *C'est ma copine* (le possessif de copulation, selon Tio). D'Yvonne, qui a sa cour de cartables, le silence est de rigueur et seule Yane tranche :

– Moi, les garçons, je n'en veux qu'un et pour l'instant aucun.

Elle avait un faible pour Herbert, semble-t-il, mais la mère du cousin, en se remariant avec un Saumurois, l'a éloigné de nous.

*

De toute façon, avons-nous fait ce qu'il fallait ? Nous avons cru trop vite avoir rempli nos obligations en prenant parti de tout dire aux enfants, très tôt, dans cette période où la façon dont ils sont venus au monde les intrigue, mais où l'information reste neutre, quasi botanique. Ceci mis dans cela fait pousser une fille ou un garçon et la répétition constitue une famille : ça vous a un petit air de problème élémentaire de CM 2 sur les ensembles.

À la puberté, nous avons eu la bouche plus empâtée. Mariette s'occupant des filles, je me suis chargé des garçons pour traiter de la masturbation, des putes, des maladies. Ce n'étaient pas tellement les mots qui me butaient contre la luette, mais l'ennui d'avoir à parler de l'amour comme si, parlant des fleurs, j'en évoquais le fumier.

Pour autant sommes-nous quittes ? Je ne crois pas que les jeunes d'aujourd'hui en sachent tellement plus long que nous à leur âge. Ils ont seulement plus tôt une idée plus précise de la mécanique (et encore, c'est à voir). Face à la vague porno, à la sexplosion du roman, de la pub ou du film, aux furieux débats en cours (tel celui sur la loi Veil, qui coupe la ville en deux), il y aurait beaucoup à dire :

– Délicat ! dit Mariette.

Il y a plus délicat encore. J'ai dans ma clientèle un gynécologue en train de divorcer d'une biologiste. Faire parler les gens de leur spécialité, pour les mettre en confiance, est une rouerie qui ne marche pas toujours : lui se branche aussitôt. Il m'a sorti par exemple :

– Vous savez, il y a moins de la moitié des parents qui se préoccupent de la contraception de leur fille.

Puis, avec un sourire :

– Et il n'y en a pas un pour cent qui leur fasse un vrai cours d'éducation sexuelle. Je ne connais qu'une famille où, lors des premières amours, les parents se soient inquiétés de la précipitation juvénile et, au risque d'avoir l'air salaces, aient suggéré des préludes, des façons et des retardements. Oui, maître, à la maison comme à l'école, le plaisir est toujours passé sous silence…

Il m'observait, l'ironie en coin de lèvre, sûr de m'embarrasser. Que reste-t-il de judéo-chrétien dans ma réticence ? Plain-chant du corps, le plaisir l'est de façon si personnelle que le tenir d'une leçon me paraît inconvenant : à chacun sa surprise ! Pourtant, j'ai sûrement tort. On ne peut nier qu'en amour la jouissance, part de la bête, exalte celle de l'ange. Les recettes de l'hédonisme peuvent nous tirer des moues, mais il est clair qu'on ne naît pas avec une compétence érotique et que pour un demi-siècle d'usage, sous peine de décevoir, il vaut mieux l'acquérir.

Tenir chronique, au nom du père, c'est forcément voir trop gris. Il est vrai qu'en ce moment la réforme Haby réveille la guérilla lycéenne ; que les plus grands s'inquiètent d'avoir bientôt à pénétrer dans un monde bouché ; que nous bafouillons sur la façon de considérer leurs hâtives amours ; que, parents issus d'un passé si différent de leur présent, nous sommes tenus de nous éloigner de nous-mêmes jusqu'à l'étourdissement ; que nous menace cette crise du milieu de vie où devant le bilan trop léger, le peu de chances de l'améliorer, nous point la conviction d'avoir à vivre de nos restes comme de pain rassis...

Mais eux, nos jeunes, qu'ils vivent leur plein mai ! *Dix-huit ans*, chante Dalida. Nicolas vient de les avoir, et son anniversaire, coïncidant avec sa majorité, a déclenché une époustouflante fiesta. Je ne sais pas qui a eu l'idée de ce rallye bizarre partant du pied du château (parce qu'il a dix-sept tours) pour traverser le centre-ville et mener les cavaliers, avec leur cavalière sur le dos, jusqu'au kiosque du Mail, héritage des vieux orphéons, encore pimpant sous ses guirlandes d'ampoules. Animée par des patatras, des fous rires, des apostrophes aux passants, d'aigres jugements de matrones bousculées, la sarabande eut assez de succès pour mériter un flash qui se retrouva le lendemain dans *Ouest-France*, en page locale. J'ignorais tout de l'affaire et je sortais du greffe quand Danoret me héla :

– Tu sais que ta horde s'est emparée du Mail? Ça vaut le coup d'œil.

J'y trottai, pour rejoindre un cercle de badaudes et de mioches, concentrique à celui du kiosque transformé, grâce à un magnétophone à piles, en piste de danse. Une quinzaine de nos familiers étaient là, infiltrés d'inconnus, échantillons probables du CHU, du CET, du lycée et du cours David, pour les deux tiers nippés en quatre-pièces, sauf quelques filles-tubes, les deux Chonard en robes tahitiennes et Rose toupillant avec Louis dans une jupe à godets sur des chaussures à semelles plates-formes.

Beaux, tous? Pas vraiment. La courte rouquine, dont j'avais entendu parler et qui, nez dans le cou, se serrait contre Zouf, ne bénéficiait pas plus de mesures idéales que l'échalas qui entraînait Yvonne. Mais les uns et les autres, ils étaient frais, drôles et dans l'heure épanouis avec ce qu'il fallait de fièvre dans l'entrain. Et ils secouaient leurs cheveux et ils tapaient des pieds et ils poussaient des cris pour rudoyer leur charme, sans se douter que leur peau lisse, leurs bras, leurs jambes aux charnières neuves, leur souple déplacement d'un juste volume d'air, bon gré mal gré, les maintenaient chérubins.

*

Je suis reparti: songeur, bizarre et le pied nerveux. Fermant boutique pour la circonstance, Mariette était arrivée avant moi rue du Temple et s'activait dans la cuisine. La glace de l'entrée m'assura que j'avais les oreilles rouges.

– Mais qu'as-tu? fit Mariette.

Je restai deux minutes sur place, la regardant préparer des barquettes aux œufs de saumon sur lit de lolarosa. Comment dire? *C'était elle et ce n'était depuis si longtemps plus elle*. Je la regrettais. Je me regrettais. Je m'en voulais d'habiter le costume d'un homme de quarante-huit ans. Je revoyais tourner, tourner la horde et s'avancer des genoux et frémir des chemisiers et s'aimanter des bouches. Cette grâce me perçait, moi qui l'avais, dans une antiquité, connue et si vite perdue. Je ne sais comment cela se fit. Je me retrouvai dans la salle entraînant vers le divan une femme de quarante-cinq ans qui protestait mollement :

– En plein jour, tu n'y penses pas ! Ta mère peut arriver d'un instant à l'autre…

Elle sonna en effet comme nous nous relevions.

Et soudain le deuil, en pleine fête.

Après sa mère étaient arrivés Mamoune et Tio, dans le même taxi. Tous les cinq nous attendions dans le vivoir le retour des enfants, ainsi que l'arrivée de Gilles et de Me Langlois. La table était mise autour du dessous de plat à musique et les dix-huit bougies plantées dans l'alisse, gâteau du pays, version Guimarch étoilée de neuf raies de sucre rose pour résoudre le problème du découpage en neuf parties égales. Une fois de plus, Mamoune expliquait :

– Tout bête ! J'ai des ronds de papier pour tous les cas, pairs ou impairs. Toussaint me les dessinait au rapporteur.

– Vous dites ? fit Tio.

Il a quatre-vingt-trois ans et par coquetterie n'a pas de sonotone, nous obligeant à répéter plus haut. En général, c'est moi qui fais le perroquet. Mamoune s'y refuse, estimant que c'est le seul moyen d'amener l'oncle à se pourvoir, comme elle, d'un appareil.

– Vu ! Quarante degrés d'alisse pour chacun ! dit Tio.

La lourde Mamoune aux souffrantes jointures, l'oncle tout sec aux grandes oreilles gourdes, ma mère de plus en plus diaphane, ils avaient en commun la candeur de leurs cheveux blancs et cette bonhomie que donne au visage l'emballage de l'os dans un excès de peau, mais peu de conversation. Que dire ? Ils se connaissaient depuis trop longtemps ; ils ne vivaient plus que de la retraite. Les verres de l'apéritif – *Un demi-doigt seulement, Abel!* – tremblaient dans leurs mains : ils ne sirotaient guère que du silence. Ma mère s'était tout de même permis quelques rassurants commentaires sur le devenir de ses petits-enfants que Tio craignait très inégal :

– Les plus doués ne trustent pas toutes les chances : il y en a bien d'autres dans la vie.

La trouvant – Dieu me pardonne ! – un peu sentencieuse, j'avais changé de sujet, annoncé la naissance de Gustave, né la veille à la maternité du CHU, où Martine est depuis peu interne comme Roland, son ami.

– Gustave Practeau ! Il est au moins reconnu, Martine m'a téléphoné tout à l'heure, précisa Mamoune.

– Gustave ! Pourquoi diable ? demanda Tio.

– C'est drôle pour des soixante-huitards, reprit Mamoune, mais ils ont voulu faire plaisir à Mme Practeau, née Erikson, qui descendrait par la cuisse gauche de je ne sais trop quel prince de Suède.

Suède, ce mot me glacera désormais. Portant la main à sa bouche, comme pour tousser, ma mère étouffa un léger rire. Puis son bras retomba, en chute libre. Quinze ans plus tôt, sa sœur avait fait : *Oh!* et lâché son sécateur avant de s'affaisser le long d'un poirier qu'elle était en train de tailler. Ma mère aussi fit : *Oh!* et ce fut tout. Abandonné, le corps se tassa dans le fauteuil, le menton se décrocha et, sous des paupières qui ne cillaient plus, des yeux de verre fixèrent le plafond.

– Le Samu ! cria Mariette, courant vers le téléphone.

Inutile. Ma mère s'était absentée d'elle. Sa robe restait vraie, comme ses chaussures où s'enfonçaient des chevilles nettes, comme son alliance d'or blanc, inaltérable. On a en de tels moments des réflexions absurdes : ces chevilles, cette alliance, voilà ce qu'avait connu mon père ; et aussi ce parfum, discret comme elle, dont elle disait n'avoir jamais changé. Affolée, refusant l'évidence, Mamoune parlait de piqûre intracardiaque, criait à Mariette :

– Dis-leur de faire vite !

Tio répétait, livide :

– Quatorze ans, elle avait quatorze ans de moins que moi !

Je fus saisi en l'écoutant parler de ma mère à l'imparfait et, soudain, le réalisant pleinement, par le mutisme absolu de celle qui n'était pas encore une disparue, puisqu'elle était là, devant moi. Je ne l'entendrai plus parler du *pays bas*, dire *avette* pour abeille, *barrer la porte* pour la fermer à clef et *Dieu se déconsidère !* à la mort d'un enfant. Un bruit de portes me tira de cette noire méditation. Je dus sortir pour faire taire les enfants qui envahissaient l'entrée, bruyants et joyeux.

Ma mère était de ces veuves, de type ancien, qui ne trouvent pas naturel de survivre si longtemps à leur mari et à qui ce sentiment inspire une sorte d'ascèse, un consentement tacite à leur demi-présence. Croyant mourir beaucoup plus tôt, comme sa jumelle, elle en parlait tranquillement :

– Tu sais comme je suis : j'aimerais que mes obsèques, comme moi, passent inaperçues ! Le crêpe n'est plus de mode et je ne veux, surtout, tracasser personne.

Mamoune clouée par la sciatique, nous ne fûmes donc que sept pour ramener à mon père disparu depuis trente-trois ans une femme qui n'en avait pas vécu seize avec lui. Je fis semblant de ne pas entendre Tio murmurer au bord de la tombe, tandis qu'en remontaient les cordes :

– Si elle avait voulu, c'est moi qui serais son veuf.

Je le savais : ma tante me l'avait dit. Trois ans après la mort de son frère, Tio s'était proposé une sorte de lévirat que ne pouvait exaucer un farouche vœu de fidélité posthume. Je savais aussi qu'il avait été décidé ce jour-là :

– Vous serez du moins, Charles, parrain à part entière.

Qu'il s'en soit fait une religion, masquée par un discours bourru et une grosse ironie de militaire, j'en ai eu la longue preuve. Mais je ne pensais pas que sous l'uniforme, puis sous le paletot, aient résisté des sentiments que j'estimais plus vexés, plus chardon bleu. À la sortie du cimetière, pour cacher une émotion qui lui piquait les yeux, il n'attendit pas que je déverrouille la voiture et s'en alla tout seul de son pas raide d'officier à courtes jambes, désormais peu sûres :

– Il va se prendre une bûche ! murmura Louis, en coin de lèvre.

Jusque-là, il avait été convenable, comme les autres, impressionnés (pour la seconde fois) par cette mort instantanée, cette extinction dans la seconde, tristement comparable à celle du lustre quand on abat l'interrupteur. Mais au fond, malgré l'impression de manque qu'inspire le brusque passage d'un proche dans l'album du souvenir, ils étaient prêts sinon à l'oubli, du moins à ne pas souffrir d'éventuelles – et probablement rares – commémorations. Sans le dire, bien sûr. Sans même le croire. Ma mère (je l'appelais *Maman* en sa présence, jamais en son absence pour parler d'elle à un tiers) inspirait trop de respect et, sauf chez moi, ce respect demeurait tiède : exactement l'inverse de la chaude dérision avec laquelle Mariette, depuis sept ans, peut évoquer son père. L'écoute des Quatre le confirmait déjà, en m'apprenant aussi que pour eux, pour leurs pareils, les gens âgés devenaient si nombreux, duraient si longtemps, encombraient tant de places et d'appartements que leur départ, les délivrant de leurs maux, ne pouvait pas se comparer à la mort d'un garçon tué sur la route avant d'avoir touché sa part de vie. Grand-mère était morte sans souffrir, c'était bien ; et même, dans le lointain futur de leur propre déclin, plutôt enviable. Grand-mère ne laissait presque rien : un petit quelque chose tout de même et sur un bout de papier une note pour son emploi : *Change ta voiture qui n'en peut plus et aménage enfin une chambre pour Nicolas dans ton grenier*. Ça aussi, c'était bien. Maman avait, tout bas, parlé de la nouvelle CX et Papa, quel dommage ! décidé qu'elle serait noire.

1977

Deux ans de plus ne changent rien à un continu de quinquagénaire ; ça change tout dans la seconde décennie.

Me revoici donc tel quel et toujours pas plus satisfait que navré d'être ce que je suis. Mais en face de moi voici deux fils devenus majeurs : citoyens encartés, bancarisés, tous les matins rasés, munis d'un permis de conduire, c'est-à-dire d'une indépendance dans le mouvement dont on ne pourrait trouver l'équivalence que dans leurs premiers pas de bambins libérés de l'immobilité. Se disputant la voiture, ils font le plein d'essence comme ils ont fait le plein de muscles. Talonnés par leurs sœurs, ils ont pénétré dans cette zone indécise où l'adolescent a tout l'aspect de l'adulte :

– Comme un fromage frais ressemble à un fromage fait, dit Tio.

Regardons-y de plus près ! Que je m'en flatte ou non, parmi tant de spécimens de jeunes néanthropiens, les miens, tels qu'ils se sont attendus, tels qu'ils se sont atteints et peuvent désormais traverser un demi-siècle sans transformations notables ou du moins comparables à celles qu'ils ont connues depuis leur naissance, méritent bien, chacun, une fiche signalétique.

Nicolas, vingt ans, un mètre soixante-seize, soixante-trois kilos, quatre-vingt-dix de tour de poitrine. Cheveux mi-longs à la Beatles. Front haut d'où descend l'arête du nez, droite, à la grecque, passant ensuite par le sillon nasal, par la fossette d'un menton bilobé, par une pomme d'Adam proéminente. Toujours studieux, sérieux (un peu moins), sourcilleux (un peu plus), il fonctionne en tout parallèle à lui-même. L'œil ne cille guère. L'oreille, à peine ourlée, retient tout, est attentive à tout. En première année de médecine, ce n'est pas le genre d'étudiant à se perdre dans les couloirs, dans la galère des inscriptions, des programmes et des emplois du temps, pas plus d'ailleurs que dans les prétextes qu'on se donne pour sécher un cours.

Il semble, carabin, carabine, qu'il soit assez polygame, mais de ses élues de CHU il ne parle pas plus que des autres, sauf par allusions, jamais nominatives. Je croirais volontiers que, comme ses pareils à qui l'on prête une vie sexuelle enviable, il n'ait en réalité pas souvent le temps de s'éclater. Le fait qu'il traite nos habituées, Marceline, Bernadette, Edmée, les deux Chonard, à peu près comme ses sœurs montre qu'il les classe à part : dans une réserve où on ne braconne pas. Toujours habillé selon l'heure, selon l'œuvre, il prend grand soin de ses livres, de ses blouses blanches, de ses vêtements de sport. Un peu moins de nous, forcément. Son luxe, c'est un petit air de rien dans le succès qui, jusqu'ici, ne l'a pas quitté. Sa pauvreté, c'est l'échange. Il observe une distance, variable, mais qui fait que dans les meilleurs moments, à un mètre, il donne l'impression d'être à cinq. Docte, il lui arrive pourtant de régurgiter des connaissances fraîches que nous n'avons pas :

– Un chiantifique ! dit Louis, derrière son dos.

Je ne déteste pas que dans la controverse ce gavé de science exacte se montre si fort attaché à son opinion qu'il cesse enfin d'être raisonnable. Bref, quand il règne, ça baigne. Mais raide, il n'est pas sec : il tient à sa fratrie, qui n'est pas sans pouvoir sur lui, surtout Yvonne. Il est le protecteur attitré de sa mère qu'il ne s'agit pas de houspiller ni même de contredire en sa présence. Il est le lieutenant général qui, en mon absence, accepte un rendez-vous :

– *Moi, je* vous propose le 26, à onze heures.

Il ne soupçonnerait pas un instant que je puisse être jaloux de ses avantages en obéissant à mes gènes qui, selon la règle évolutive, m'enjoignaient de me reproduire *en mieux*.

Un détail apaisant : il a démoli la calandre de ma CX en la confrontant à un poteau.

Louis, dix-neuf ans, un mètre soixante-deux, soixante-dix-huit de tour de poitrine. Radicalement différent de son frère, mais moins éprouvé par la comparaison depuis que, nanti d'un cuir Perfecto (celui des voyous de jadis, devenu celui des branchés), il balade cet accessoire de séduction sur la moto qu'il s'est payée au lendemain de sa majorité.

Ne le jugeons pas sur sa collection de bornes, sur ses tours de ville offerts à qui, sur l'arrière-selle, n'a pas peur des virages couchés. Ne le jugeons pas sur ses fréquentations de demi-durs à l'ignorance encyclopédique ; ni sur celle de Philibert, un de ces gays qui hantent en bord de Maine certaine place bordée de platanes et rafraîchie par sa fontaine ; ni sur celle d'un petit nombre de fumeurs de joints, de retourneurs de panneaux, d'enragés de la craie, du charbon, du pistolet à peinture. Préférant quant à lui l'Onyx Marker, il jouit d'une réputation murale que méritent ses compositions, voire ses courts poèmes verticalement édités à compte d'auteur sur des parois qu'ils honorent plus que les esquisses anatomiques ou les malédictions électorales habituelles. Bien sûr, il m'inquiète. Il inquiète tout le monde et lui-même en particulier.

– C'est un rigolo, dit Mamoune.

Marginal si l'on veut, pas vraiment original, pas banal non plus, il tire sa flemme au cours David. Consentira-t-il à choisir un des métiers d'art commerciaux pour lesquels son école trouve des débouchés ? Peut-être, bien qu'il lui reproche de les privilégier en décourageant un « véritable artiste ». Sa naïveté ne désarme pas :

– Quand on a le don, hein ! on ne le trahit pas.

Il l'a et, justement, il le trahit en le cultivant mal, en rêvant mou, dans le flou. À l'entendre, on ne l'aide pas. C'est vrai que Tio le brocarde, que sa grand-mère hoche la tête avec une indulgence qui le vexe. C'est vrai que, si nous lui commandons des portraits de la tribu, aussitôt encadrés, accrochés, désignés du doigt aux visiteurs, il se doute bien que nous cherchons à le valoriser. Mais comment faire mieux ? Je ne le cache pas : il m'émeut, il me mobilise plus que son frère qui n'a besoin de personne. Mais cela même l'agace ; il y voit un zèle de soigneur auprès d'un patient, et ce qui lui permet de tenir, en définitive, c'est ce que d'abord nous lui avons reproché. Qui l'aurait cru que ce serait un fidèle ? Qui pensait qu'avec Rose ça tiendrait, que la fille, pour se libérer de Liré, trouverait moyen de préparer à Nantes un BTS de bureautique en s'installant, au pair, chez un consul ? Louis la voit à peine une fois par mois, toujours là-bas, dans des conditions que doit améliorer le Pascal que je lui rallonge. Mais il lui téléphone tous les soirs et quand je passe auprès de lui, à ce moment-là, par hasard, il hausse le ton, il dit : *Rose, Papa te dit bonsoir !*, et son visage anguleux s'éclaire d'un sourire plus affectueux que moqueur.

Yvonne, dix-sept ans, un mètre soixante-trois, quarante-neuf kilos – toujours âprement surveillés –, n'aime pas les glaces, n'aime pas les photos, n'aime pas son visage, ovale de porcelaine rose aux traits fins, aux lèvres minces, aux yeux grillagés de cils courbes. Depuis qu'elle a découvert, dans un ouvrage sur la peinture anglaise, qu'elle est la décalcomanie de la *Vierge* de William Blake, elle s'est fait couper les cheveux qu'elle avait, aussi, étalés sur les épaules. Elle se crayonne soigneusement. Peut-on accepter d'avoir l'air d'une madone, en terminale B ?

Élève convenable, elle a quand même des inquiétudes pour son bac et, plus précisément, pour la mention, désormais fort souhaitable si l'on veut ne pas avoir de problèmes à l'université. Yvonne veut faire son droit, comme moi, mais pour devenir juge et passer du côté des toques devant qui j'ai salivé avec déférence depuis un quart de siècle. Même s'il me reste un grain de sel sur la langue, je ne saurais qu'approuver. Elle, du moins, pas plus que Nicolas, ne sera victime, comme la plupart des jeunes, de la question lancinante : *Qu'est-ce que je pourrais bien faire ?* Si le père d'une fille reste encore à cet égard souvent moins motivé que celui d'un garçon, elle se charge, bien que ce ne soit pas mon cas, de chanter haut carrière. On la siffle assez dans la rue pour qu'elle n'ignore rien de ses divers atouts, mais lui dire qu'elle est jolie, c'est calculer là-dessus, chercher à la dévoyer :

– La peau ! L'emballage ! Le papier cadeau ! Parle-moi plutôt de ce que je fais.

Le papier cadeau, pourtant, attire, et je ne jurerais pas que la ficelle soit intacte. Yvonne sort et rentre aux heures dues. Elle dit où elle doit aller, mais ne rend jamais compte de rien. Son port de tête décidé, ses gestes dénoués, sa voix posée, ses réflexions éparses sur les libertés que prennent ses amies, le silence qu'elle observe à propos des siennes donnent à penser. Quand il s'agit pour elle du plus léger retard, sa mère toutes les minutes regarde sa montre. Moi aussi. On a beau dire, un père se sent conservateur de cette sorte d'œuvre d'art : son absence de la galerie familiale tracasse comme celle d'un tableau qui, sur la cimaise, n'a laissé que son clou.

Yane, dix-sept ans, un mètre soixante, quarante-cinq kilos. Signes particuliers; l'œil gauche est d'un bleu plus foncé que le droit; le sein gauche est nettement plus gros que l'autre !

– Le cœur, qui est en dessous, a suivi cet exemple, dit sa mère.

C'est vrai, si l'on n'oublie pas que Yane peut être fort pointue et qu'elle manie de plusieurs façons l'aiguille. Son CAP de couture s'achève et les stages qu'elle a faits, ici et là, Chez Amandine, à La Retouche angevine, Au Sac à ouvrage, parmi des filles à langue vive, lui ont fourni de l'aplomb. Yane ne donnera pas dans le bébé-couple. Elle l'a dit en plein vivoir :

– C'est curieux tout de même ! Ce qui t'aurait déshonorée, Maman, quand tu étais fille, c'est maintenant presque recommandé. Couchez ! Comparez ! Pour moi, pas question.

Elle a même ajouté :

– Explique-moi pourquoi la télé nous fait une réputation de jambes en l'air, un jour, et publie un autre jour un sondage dont il ressort qu'à mon âge nous sommes encore quarante pour cent de pucelles...

Yvonne l'écoutait, silencieuse et fermée. Voyons ! On ne parle pas de ces choses aux parents : ça les gêne, ça ne concerne que les intéressées... Voire ! Mais il faut bien reconnaître que le non-dit nous tourne en bouche, quand une fille s'autorise ce que sa sœur s'interdit et que l'époque ne nous conseille ni de blâmer l'une ni de féliciter l'autre.

Sur ce sujet comme sur le reste, l'avantage de Yane est de ne pas faire d'embarras. À chacun son choix, son goût, ses moyens. Elle s'est vraiment acceptée une fois pour toutes et quand, derrière les propos d'un savantissime Nicolas, elle se met à parler de points de croix ou de feston, de bordé, de biais gansé, de plis soleil, de fente capucin, de jours à fils tirés, on peut comprendre que, toute à son affaire, elle rend la monnaie à son frère, assurée que, sauf sa mère, « nul n'y entrave que pouic ».

Mariette affirme que pour Yane elle se fait moins de souci, que c'est la plus proche de nous, la plus serviable dans cette maison où, au nom de leurs études, les autres se défilent dès qu'il s'agit de donner un coup de main. Et sur ce point, si, moi j'ai un souci : qu'elle reste une Marthe, mais pas une Cendrillon.

Étonnant, quand on sait le sens du mot ! Ces adultes plus forts que nous, plus vifs, nous les appelons encore nos enfants : du latin *infans*, désignant le gosse en bas âge qui ne sait pas parler. La prime jeunesse passée, pourquoi ce terme continue-t-il à exprimer la filiation ? Pourquoi n'en avons-nous pas créé un autre ?

Enfants, toujours ! Le beau regret masqué ! Il fut un temps où nous étions pour eux la parole. Comment l'oublier quand la fonction de dire et de prédire passe au-dessous du conseil ? J'ai choisi la démocratie familiale ; je l'ai, si je ne m'abuse, à peu près respectée : elle comporte un retrait progressif. Mais dans la tâche éducative, quel tâcheron peut se sentir à l'aise quand il est ainsi mis sur la touche ? Encore une fois j'entends les bons auteurs : *Que le père devienne un pair !* La formule est aussi stupide que sa variante : *Qu'il devienne émérite !* C'est Mariette qui a raison : Mariette, qui pourtant conservera toujours le pouvoir du sein, mais cherche la transition :

– Tout ce qui ressemble à du gouvernement, évitons-le pour conserver l'accompagnement.

*

Je devais quand même avoir l'air inquiet, ce dimanche, à la piscine.

Il ne m'arrive pas une fois par an d'y accompagner les enfants, qui, eux-mêmes, n'y vont plus souvent ensemble. Je venais de faire un aller et retour de bassin, de croiser dans ce vivier javellisé des amphibies plus ou moins doués : certains si fluides que leur crawl, on pouvait le croire filé dans l'huile, d'autres crapaudant de la brasse, la plupart plus bouchons que poissons dans l'eau commune, froissée, claquée, recrachée. À droite, ça criaillait dans la mare à marmots. À gauche, du haut des plates-formes, plouf après plouf, tombaient des plongeons carpés, groupés, retournés, entrant dans le bouillon par le crâne ou par le gros orteil.

Vite fatigué, j'avais grimpé à l'échelle, je m'étais assis dans mon jus, au bon endroit : juste en face des Quatre qui, après des ébats plus prestigieux que les miens, faisaient brochette, alignés sur le bord, jambes pendantes et l'œil intéressé par les démonstrations de grands velus barattant de l'écume ou par des ondines en émersion, dardant leurs pointes et remontant des fesses généreuses tranchées par la ficelle du minimum triangulaire. Puis soudain, à dix centimètres d'une paire de pieds s'enfonçant dans le clapotis bleu, surgit une tête sur quoi se lessivait un reste de cheveux et dont s'égouttaient quelques mots :

– Bretaudeau, j'ai quelque chose à vous demander.

C'était Ravertin, un universitaire dont je ne suis pas l'ami. Quelques instants plus tard, sur les dalles où s'étalait tout un musée de peaux, il fut à mes côtés, l'agrégé, assis sur son slip et diffusant dans l'air du poil et des idées.

*

Ce qu'il voulait ? Du papier. C'est lui qui s'occupe maintenant de la *Revue de la Loire*, ni plus ni moins lue qu'autrefois. Sachant que j'y avais collaboré, il me relançait :

– Nous faisons un spécial *Jeune Anjou*. Avec deux filles et deux garçons, vous êtes aux premières loges pour savoir ce qu'il en coûte en peines inévitables et en joies évitées. Donnez-nous un texte un peu pointu.

Poliment j'ai demandé à réfléchir, mais c'est tout réfléchi. Il est connu, Ravertin, dont le cours de sociologie et les nombreux articles ne passent pas inaperçus. C'est un de ceux dans la bouche de qui on trouve cette sornette : *L'adolescent est le triste héros du XXe siècle.* L'ayant lu, je me suis étonné qu'il ne fasse aucune différence entre les treize-à-quinze, les seize-à-dix-huit et les plus de dix-huit, qui ont entre eux autant de différence qu'entre un enfant d'un an et un autre de trois, la dernière catégorie au surplus comprenant ceux qui cherchent à s'accrocher le plus longtemps possible à l'adolescence et ceux qui s'en sont déjà évadés. Le professeur est un phraseur qui, certes, aurait besoin d'être contredit par un père de métier. Mais peut-on faire figurer sa signature à côté de celle d'un célibataire que j'ai vu quelque part déclarer sans ambages : *Unifié, unisexe, univoque, se rallie le peuple jouvenceau, classe sociale jusqu'alors non reconnue.* On rêve ! Une classe, c'est dans l'espace social la permanence d'un état, d'une condition. Comment pourrait-on en parler à propos de ce qui n'est, dans le temps personnel, qu'un passage ?

Le professeur cherche un texte pointu, c'est-à-dire caustique ou désenchanté, confirmant ce qu'on sait de notre incapacité et lui permettant de dire, en réponse, que si les plaignants sont bien des deux côtés, c'est le nôtre qui seul produit les juges.

Dans cet esprit-là, je n'écrirai pas une ligne.

Que signaler ? Si je consulte le fourre-tout qui ne fournit pas d'anecdotes, mais des réflexions de têtes mieux faites, je n'y trouverais pas grand-chose. Si je me consulte, disons encore une fois que, sauf caprice de mémoire, il n'y a pas de raisons de retenir tel ou tel épisode.

*

Un soir à la télé.

Ce qu'elle offre se discute davantage et ne s'avale plus tout rond. Les débats sont régulièrement suivis et commentés. J'assistais au dernier : *Y a-t-il un retour des valeurs ?* Yvonne a déjà réagi sur le titre :

– Elles avaient donc disparu ?

– Non, dit Louis, mais comme les surgelés, elles attendent au frigo.

– Vous parlez de quoi, au juste ? fit Nicolas. De fric, de courage ou de morale ? Ou de TVA, peut-être ?

La gouaille masque l'intérêt. Vivre à une époque où tout s'enseigne sauf le sens de la vie, où « les vaches ne sont pas seules à ignorer pour qui elles broutent », c'est un souci qui les travaille. L'émission malaxait les opinions qu'il est d'usage d'appeler autorisées : celles d'un jésuite, d'un pasteur, d'un rabbin et de libres penseurs censés penser plus librement que les autres. C'était touchant : *Embrassons-nous,*

Folleville! L'œcuménisme du minimum, s'associant à un agnosticisme déférent, ne s'en prenait qu'à un affreux traitant les valeurs de concepts-jetons. La déception fut générale :

– Il est stupide, ce gus ! fit Nicolas. Mais les trois prêcheurs qui mettent la vérité au-dessus de tout se fichent de nous : ils ont chacun la leur. Moi, je ne vois qu'une valeur sûre : la connaissance.

Suivit une litanie confuse. Adieu la foi, l'espérance et la charité ! Par ici la lucidité, l'action et la justice. Ne me dites pas que l'argent en est une ! Louis eut vite fait de maugréer :

– C'est bien sec, tout ça. Parlez-moi de l'art.

– Et de l'amour, dit Mariette.

– L'ennui, c'est que toute valeur se rétrécit dans un mot, reprit soudain Nicolas. Cessons de jouer au scrabble.

*

Un après-midi, rue des Lices.

Pour qu'on ne sache pas qu'elle me consulte, la fille de feu Blanquet, le chef du Coq, a préféré me rencontrer à L'Angevine, pour me parler de la succession de son père. Épaisse comme lui, qu'on surnommait « Panouille », elle a la même bouille de gastrolâtre à bouche grasse et luisante : entrée évidente d'un système digestif qui gave son obésité. Cette dame partie, de son pas chaviré de superlourde, Mamoune, que sa cataracte n'empêche pas de tricoter, murmura :

– Vous avez remarqué ? Aujourd'hui, pas un chat.

Il se pourrait en effet que nous ayons fini de désintéresser nos consorts pour nous retrouver propriétaires d'un de ces petits commerces qui défaillent partout. Mariette, liant ce sujet à un moins grave, soupira :

– Pourtant il faudrait augmenter l'argent de poche.

Mon pouce s'agita sur mon index. Au moment où ils coûtent le plus cher, les étudiants n'ont toujours droit qu'à la demi-part fiscale d'un enfant de deux ans, de surcroît plafonnée. Revenant au précédent souci, Mariette enchaînait :

– Yane a peut-être une idée.

On m'expliqua. Pratique, Yane ! Sitôt sortie de La Roseraie, avec son CAP, au lieu d'aller faire la petite main, au Smic, chez une patronne, elle envisage de doubler L'Angevine d'un SOS Couture assurant le raccommodage express, la retouche, le stoppage et autres travaux d'aiguille à façon pour le compte des dames ne sachant plus coudre un bouton. Elle profiterait des chalands de sa mère et en attirerait de nouveaux.

*

Le projet de Yane vaut ce qu'il vaut. Mais presque aussitôt Yvonne est venue m'annoncer qu'elle ferait de l'auxiliariat au Crédit Lyonnais, le samedi et durant tout le mois de juillet. À la même époque, Louis devrait participer dans la vallée à l'écimage du maïs. Nicolas cherche à donner des cours de maths. L'épidémie touche leurs copains : à ses heures libres, Zouf, entré dans l'enfer des prépas, distribue des tracts ; Bernadette Langlois fait la baby-sitter.

Argent, liberté métal ! Il ne s'agit pas seulement d'en gagner un peu pour le cinéma, l'essence, les babioles, la chambre (en cas de), mais de battre monnaie à leur effigie, d'alléger la dépendance.

*

Au restaurant, pour le soixante-quinzième anniversaire de Mamoune.

Voilà une entorse aux usages Guimarch qui font un tout festif de la cuisine autochtone, des familiers, des tapis, des meubles et de la vaisselle. Martine était venue sans Roland, médecin de garde ; Éric, sans Gabrielle II ; Arlette, sans Gontran. Mamoune s'était donné beaucoup de mal pour rameuter son monde et, la gentillesse en bouche, avait le regret dans l'œil. En bout de table, les jeunes, difficiles à retenir parmi des convives de plus de vingt-cinq ans (Martine même, pour eux, fait mémère), ont essayé de s'intéresser une petite heure à de trop longues évocations. Leur gros grand-père, mort le nez dans le gâteau, oui, ils s'en souvenaient. Aline, Catherine… Qui ça ? Qui sont où ? Qui font quoi ? Éric savait un peu. Aline, 26 ans déjà, aurait un enfant : d'un homme marié. Catherine aurait suivi à Québec un Néo-Canadien d'origine vaudoise. Après un silence, le nom de la tante Meauzet fut prononcé… Celle de Saumur, la mère d'Herbert ? Mais non, la mère d'Herbert n'est que la veuve d'un cousin issu de germain. Il s'agit de la grand-tante. Les jeunes se regardaient d'un air égaré : leur arbre généalogique doit ressembler à un marronnier de square passé à la serpe par l'élagueur. De quelle branche coupée était la vieille dame ? Le silence en disait long.

– Mais je suis une Meauzet, gémit Mamoune. C'était ma sœur aînée.

*

Samedi après-midi, promenade du Bout-du-Monde.

Tio faisait sa petite balade quotidienne, qui d'ailleurs se raccourcit beaucoup. Il a aperçu Louis, sa moto accotée à un tilleul et son chevalet installé à courte distance du pont-levis du château, donc de l'entrée des visiteurs. L'artiste appâtait la pratique en faisant le portrait express d'une passante.

La passante, c'était Rose.

*

Louis et Nicolas, penchés sur des bulletins de loto.

Je n'aime pas trop ce racket fiscal déguisé en dame Fortune. Mais leur façon de jouer trahit bien les deux frères.

Louis se jette sur les commentaires des méthodistes : *Deux numéros se signalent cette semaine à votre attention. Le 9, si peu sorti, devrait se racheter. Le 17 entre dans la « zone du mur». Les numéros lourds semblent avoir fait leur plein lors des dix derniers tirages.* Louis, avec bien d'autres, rêve à une logique du hasard, permettant de le contourner.

Nicolas hausse les épaules. La loi des grands nombres se moque de tout précédent. Il n'y aura jamais qu'une chance sur 13983816 d'obtenir six bons chiffres. Mais heureux de vivre, les gens misent beaucoup sur leurs dates de naissance ou celles de leurs enfants. Il y a donc plus de parieurs sur les cases de 1 à 31. S'ils sortent, les lourds paieront mieux que les légers. Comme il joue «l'argent des cigarettes qu'il ne fume pas», Nicolas ne peut rien perdre et renverse la formule:

– Le loto, c'est pas cher, mais cinquante-sept fois contre une ça doit rapporter zéro.

*

Deuil de l'imprimé.

Jeune, j'étais très lecteur, mais la famille exerçait son devoir de censure. Aujourd'hui, c'est l'inverse: le droit de tout lire serait même offensé par un *nihil obstat*.

Mais l'appétit devient mince. Rien que des livres d'études pour Nicolas, des ouvrages d'art pour Louis. Yane, évidemment, ne lit jamais. Yvonne seule dévore tout, en livre de poche.

*

Intérêt naissant pour les panneaux électoraux.

Filles ou garçons se sont longtemps moqués des *politos* d'affiche ou d'écran, en cela aidés par leur oncle, qui déteste ceux qu'il appelle «les spécialistes de la bouche ouverte»:

– Y en a peu qui font source et trop qui font égout!

Les batailles de sigles entre le RPR (qui fut RPF, ARS, URAS, UNR, UD.V), le CDS, le CNIP, les IND, les DG, le MDSF, le MRG, le MD, le PS, le PC, c'était loin d'eux, maltraité de *Bof!* et de *Beurk!* Quand j'essayais de les intéresser, eux et leurs amis, revenait la même chanson:

– Tu l'as fait, leur bilan ? La guerre, la haine, la faim, l'inégalité, la violence, la pollution, le massacre de la nature, ils n'ont rien arrêté.

C'est fort peu l'inflation et avant tout le chômage qui les ont, pour leur proche avenir, utilement tracassés ; et aussi, pour reparler de valeurs, une réactivation des valeurs en *té* (liberté, nouveauté, égalité, solidarité, équité, sincérité...) faisant boomerang d'un parti à l'autre. Si plus rien ne tourne rond, n'y pourraient-ils pas quelque chose ? Bien entendu, d'accord sur cette idée, ils ont aussitôt cessé de l'être sur leurs options. Mais leur fièvre politique n'atteignait pas 38° quand eut lieu la poussée des municipales.

Les beaux quartiers ne seraient pas plus alarmés s'ils venaient d'être bombardés. Au téléphone, les gens de la Société composent leur voix, comme pour un deuil, mais risquent peu de commentaires : quand plus de la moitié de la ville en est, sait-on qui n'en est pas ? Sur l'asphalte, les dames trottent d'un pas moins sûr, recroquevillées dans leurs fourrures : on dirait qu'elles ont peur d'en être écorchées. Leurs époux ont l'allure appliquée, l'air de ne pas avoir l'air préoccupé et ce balancement des bras de ceux qui croyaient les avoir plus longs. Les bonnes sont gênées pour Monsieur et Madame, mais rient en douce avec les livreurs ou les laveurs de carreaux, tandis que la joie sururbaine se donne libre cours.

Angers la blanche, pensez donc, aussi sûre de ses intérêts que son château l'est de ses tours, est brusquement devenue rouge. Avec ses satellites : Trélazé, Écouflant, Avrillé. Avec ses sœurs de l'Ouest, Rennes, Brest, Niort, presque certaines d'être rejointes au second tour par Le Mans, Nantes, Poitiers, Angoulême, Saint-Malo. *Fort comme un Turc*, disait-on de l'ancien maire, dont c'était le nom. Il s'est pourtant laissé bousculer par Chupin, son adjoint, qui n'a pas plu. Avec deux mille voix d'avance, Monnier, l'homme de soixante-huit, s'est installé à l'hôtel de ville. Tio, seul, dans la famille, m'a corné en bout de fil :

– L'espérance, Abel ! Les Angevins sont devenus daltoniens.

À L'Angevine, point de panique. On sait bien que la patente rend les Guimarch plus sensibles de l'oreille droite, tandis que les Bretaudeau, ces vallerots, le seraient davantage de l'oreille gauche. Mais en politique comme en religion, le commerce rendant raisonnables, on ne peut, sauf dans l'isoloir, faire état de ses convictions, on se doit d'afficher la bienveillance envers tout ce qui se croit ou se pense, à plus forte raison quand c'est cru et pensé majoritairement. Mamoune s'est contentée de me glisser à l'oreille:

– Il fallait s'y attendre. Le jeune clergé est dans le coup, la rose de sainte Thérèse au poing.

Cette prudence envers *ce qui divise* lui semblant encore plus nécessaire en famille et s'y renforçant de *ce qui choque*, je ne me rappelle que trop à quel niveau de balivernes stagnaient les conversations. Mais si, avec les Quatre, les nôtres ont été moins plates, j'ai des scrupules: assez rares, semble-t-il. Je suis incapable d'endoctriner mes enfants, comme ces gens qui se font un devoir de transmettre leur foi ou leurs opinions. Je suis aussi peu militant que possible. Le seul parti que je sache prendre en face de deux discours différents, c'est de chercher ce qui les rapproche et non ce qui les oppose. Sur ce point, j'aurais aimé prêcher d'exemple.

Mais il semble qu'à l'indifférence fréquente des jeunes les miens préfèrent une couleur. Jusqu'ici, j'avais pu sourire des petites piques qu'ils s'envoyaient à l'occasion de polémiques télévisées entre tribuns à tirades et je crois qu'ils appréciaient la réserve que je m'impose en n'annonçant jamais mes intentions de vote.

Or, ce matin, dès que nous sommes arrivés devant la table chargée de piles de bulletins, Louis a joué les provocateurs. Tandis qu'avec Mariette je m'offrais la collection complète, Louis, ostensiblement, ne choisit qu'un bulletin: celui de la liste Monnier.

– Le con! fit Nicolas, assez haut pour être entendu de toute la salle, en choisissant non moins ostensiblement le bulletin de la liste Chupin.

Se retenant de pouffer, Mariette me jeta un coup d'œil

assassin. Que dire de cette offense à la liberté de choix sans avoir l'air de défendre en même temps le mien ? Après passage dans l'isoloir, puis devant le cahier d'émargement, nos petites enveloppes bleues glissèrent dans l'urne et nous rejoignîmes sans incident les filles, désolées de ne pas avoir, à un an près, l'âge requis. L'après-midi, Nicolas jouait au stade Lac-de-Maine. Mais le soir, les deux frères voulurent assister au dépouillement, à l'école de la Blancheraie, puis de là m'entraînèrent jusqu'à la mairie. Sous ses plafonds récemment rénovés, la salle Chemellier, déjà tout emboucanée, était bondée de populaire. Les têtes chevelues l'emportaient de beaucoup sur les calvities. Un écolo, perché sur les épaules d'un autre écolo, tournait de tous côtés le groin d'un masque à gaz. Dans l'impatience générale bourdonnaient des paris, fusaient des invocations, *Monnier! Monnier!* couvrant de plus rares *Chupin! Chupin!* Les premiers résultats, donnant mille cinq cents voix d'avance à ce dernier, furent hués. Dans le coin où nous étouffions, les applaudissements de Nicolas, peu relayés, lui valurent des regards de travers et des appréciations proférées en coin de bouche à mégots. Il s'agissait d'ailleurs des votes du centre-ville, plus vite acquis : ceux des commerces, des grands appartements, des professions à plaques de cuivre. À vingt heures, les résultats des faubourgs renversaient la tendance. À vingt heures trente, le vainqueur fendait la foule et, laissant mon cadet participer à l'ovation, j'entraînai mon aîné qui, au risque de se faire accrocher, sifflait éperdument.

*

C'était la première fois que mes fils participaient à un scrutin. Comme en se retrouvant ils éclatèrent de rire, je me suis demandé si, forçant la note, ils ne m'avaient pas joué une pièce.

1978

Hallucination ou quoi ?

Je descendais les premières marches du grand escalier du Palais, laissant derrière moi six épaisses colonnes, soutiens de l'ordre triangulaire dont les frontons perpétuent la symbolique. J'avais le pied sur le quatrième degré quand mes yeux me trahirent en m'invitant à croire qu'un brusque tourbillon, dont les passants ne paraissaient pourtant pas affectés, se déchaînait autour de moi. Comme il se déplaçait en même temps que mon regard, tantôt vers les arbres du Mail, tantôt vers les maisons du boulevard Joffre, l'angoisse me fit lever le nez. Surprise ! Dans le ciel, balayé par une aigre galerne et de ce bleu layette trop lavée des printemps froids, se déploya aussitôt une sorte de nébuleuse, vaguement spirale, faite de filets grisâtres retenant une grenaille de points noirs. Quand je renversai la tête, elle monta d'un coup au zénith. Quand je la rabaissai, elle redescendit au ras des toits. Je fermai la paupière droite et tout disparut. Je la rouvris en fermant la paupière gauche et tout reparut. Hallucination, mais pourquoi d'un seul œil ? Une main tenant ma serviette, l'autre plaquée sur la prunelle fautive, je restai perché une demi-minute, attendant que ça se passe. Quand j'enlevai ma main, le nez cette fois pointé à terre, le tourbillon déformé par les marches se mit à salir mes chaussures.

– Ça ne va pas, maître ? fit une voix derrière moi.

L'épigastre bloqué par la trouille, je pivotai d'un quart de tour et ce que j'aperçus me rappela une photo parue dans *Ouest France* et prise sur le vif : la mise à mort d'un apiculteur enveloppé par un furieux essaim d'abeilles. La main remise en place et l'essaim dissipé, je reconnus avec confusion ce Pyrénéen trapu, vif et pétant de santé qu'est le nouveau procureur :

– Excusez-moi, balbutiai-je. Je ne sais pas ce qui m'arrive. Me voilà presque borgne.

– Ma voiture est à deux pas d'ici. Je vous emmène, reprit le procureur avec autorité.

Il n'y avait qu'à l'observer – front barré, regard insistant – pour comprendre qu'il se posait les mêmes questions que moi. Incident oculaire ? Ou cérébral ? Ce bon samaritain, qui avait réclamé et obtenu dans les deux derniers mois le maximum pour trois franches canailles de mes clients, me prit par le bras qu'il ne lâcha pas avant d'ouvrir la portière de sa Peugeot, m'obligea à m'étendre sur la banquette arrière et me conduisit tout droit à la polyclinique.

*

Là, resté seul, en attendant d'être pris en charge, dans une pièce aux murs clairs, parfaits pour donner du relief à ma sarabande, j'ai dix fois remonté la paupière dans l'espoir de voir disparaître ou seulement s'atténuer le phénomène qui, au contraire, semblait s'amplifier, se déployer sur la cloison d'en face. Je l'ai dix fois rabattue pour mettre l'œil et son propriétaire au calme. En vain ! Beau quart d'heure de purgatoire ! La vue, la vie ! N'est-ce pas le sens pour qui chacun s'affole le plus vite ? Perdre une jambe, ce n'est pas seulement en perdre *une* sur deux, puisque disparaît aussi la marche. Perdre un œil, ce n'est pas seulement en perdre un sur deux, puisque disparaît aussi la parallaxe. Mais pourquoi perdre *un* œil ? Ce qui attaque l'un ne va-t-il pas attaquer l'autre ? Aveugle, Abel, si j'ose dire, *tu t'y vois ?* Robin qui ne peut plus lire, robin fichu. À supposer qu'on puisse l'apprendre assez vite, les pièces d'un dossier ne se traduisent pas en braille.

On a des idées bizarres à ces moments-là. Les filles ? Il n'y en aurait plus de jolies, il n'y en aurait plus de moches. Les fleurs ? Sans forme ni couleurs, elles ne seraient plus que des odeurs. Mon pas serait mon seul instrument de mesure. Ma femme, sans visage, ne vieillirait plus. Mais les quatre ? Les Quatre ! Plus que le bonhomme, plus que le mari, c'était le père qui se tarabustait. N'étaient-ils pas encore tous à ma charge ? Sans honoraires, sans autres ressources que le mince rapport de la boutique, comment les entretenir, les mener à la fin de leurs études ?

– Je vous mets des gouttes dans les yeux, dit une infirmière, survenant soudain. Dans les deux, par acquit de conscience. Il s'agit de dilater vos pupilles pour faciliter l'examen. Ne vous inquiétez pas si vous voyez trouble. Je reviens dans cinq minutes.

Quand elle vint me chercher, l'atropine avait fait son effet. Le visage de la fille était devenu flou. Je renversai une chaise en traversant la pièce et j'évitai de justesse, dans le couloir, un fantôme blanc qui sentait l'ail et qui disait à un fantôme bleu qui sentait l'œillet fané :

– Ce ne sera rien, madame.

Voilà qui était bon à entendre, à moins d'avoir l'esprit assez mal tourné pour craindre que si ça va pour l'un, ça doit par compensation ne pas aller pour l'autre. Mais déjà le fantôme blanc revenait, s'installait devant moi, m'interrogeait. Nom, prénom, âge, qualité, antécédents, symptômes. Tandis que m'éblouissait la lumière de l'ophtalmoscope, je continuais à me tracasser. Nicolas était assez avancé pour se débrouiller sans moi à la rigueur, mais Yvonne, en première année de droit, elle en avait pour six ans avant d'atteindre le doctorat. Heureusement le verdict tomba :

– Vous vous y attendiez, je pense ? C'est un beau décollement de rétine. Ce que vous projetez devant vous, c'est l'image agrandie de petits débris qui nagent dans votre vitré. Vous n'êtes pas myope. Vous avez dû recevoir quelque chose dans l'œil...

Je m'en souvins soudain :

– Un bouchon de champagne à Noël, il me semble.

– Ne cherchez plus. Nous allons arranger ça, mais il n'est pas question de rentrer chez vous ni même de rester debout. Je n'ai pas envie que votre rétine se déchire davantage. Jusqu'à l'opération je vous veux, à plat, dans une chambre que vous allez rejoindre, à plat, dans un chariot.

*

Les pieds plus hauts, la tête plus basse entre deux sacs de sable, je me retrouvai couché dans le noir. Ouf ! Le bobo était sérieux, mais pas grave. Peu de conséquences fâcheuses, rue du Temple. La décompression fut si vive que j'en oubliai l'horreur que m'inspirent ces lieux laqués où roulent sur jantes de caoutchouc des vies horizontales et le fait même qu'un lit puisse me servir, à moi, jamais malade, de civière et non de meuble à dormir. Et puis ce fut une belle occasion de maudire la chaleur des couvertures en appréciant celle de la tribu. S'exclamant de fil en fil, sans doute, concoctant leur démonstration, tous, accourus du CHU, de la maison, de la fac, de la boutique, se retrouvèrent à ma porte, pénétrèrent dans l'ombre sur la pointe des pieds et chuchotèrent à voix serrée, génialement :

– Alors, Papa, ça va ?

Un fils de chaque côté de mes jambes. Une fille de chaque côté de mes mains, perdues dans leurs cheveux. Leur mère et leur grand-mère arrivées, un instant plus tard, étaient, pour excès d'affluence, retenues par la surveillante. Le silence et l'obscurité semblant aller de pair, les Quatre hésitèrent un moment. Puis à voix de moins en moins basse, chacun s'occupant de soi pour s'occuper de moi, en somme, oubliant ce point d'honneur que l'on met à cet âge à n'en plus référer, y alla de son couplet :

– Je peux t'avouer que ça devient dur, dit Nicolas. Nous avons déjà laissé en rade plus de la moitié des copains. Résultat : le niveau monte. Malgré la rallonge, j'aimerais bien déboucher sur la cardiologie, mais le concours de spécialités, c'est le massacre.

Yane aussitôt s'est préoccupée de son imminent CAP dont elle n'évitera pas les épreuves écrites :

– En calcul, en dessin, sans rêver je dois me payer la moyenne. Avec un 1 de français, cœfficient 2, si je me paie un 16 de travaux, cœfficient 10, je passe. Avec un zéro, je me plante. Tu peux me dire qu'est-ce que j'en ai à foutre de l'orthographe, en couture ?

Yvonne a choisi l'allusion :

– À propos, nous devons nous pointer aux assises, dans un mois, avec un prof. L'incendiaire qui a rôti vingt vaches et une fermière, ce n'est pas Danoret qui le défend ?

Enfin Louis a ronchonné presque joyeusement :

– Le pot ! Je suis exempté de service. Si la boîte ne me trouve rien, à la sortie, je touche le chôme illico.

Le bouquet à l'hospitalisé ! Ils m'offraient *ce qu'ils vivaient*. Et puis, sous une forme ou sous une autre, ils répétaient : *Ton truc, hein ! C'est rien ? Tu te croises un peu les bras*. Tout le sens était dans le ton. L'inquiétude d'un père pour ses enfants, c'est constant, c'est banal, ça le maintient au frais. L'inquiétude des enfants pour le père, lâchée comme ça, sans phrase, même si c'est bête à dire, disons-le : caramel ! Les dents ne grelottent plus, tant ça vous les encolle.

*

On les a fait sortir, trop vite à mon gré. Alors, pas plus faciles à voir, mais reconnaissables à leur pas, leur souffle, leur poids en bord de lit, se sont empressés Mamoune qui bêlait : *Mon pauvre !* et Tio, pas beaucoup plus malin, risquant un *Salut, Cyclope !* et Mariette, mieux inspirée, jouant la rassurée, passant tout de suite à la vraie nouvelle faussement importante :

– Tu sais que Martine attend son second ? Et que ça la décide enfin à épouser Roland ? Elle m'a avoué au téléphone que la situation devenait délicate pour un médecin. Roland et elle se contenteront de passer à la mairie avec deux témoins : dont toi, si tu le veux bien...

Pour rassembler une famille, l'épreuve est peut-être plus efficace que la fête.

L'œil réparé, délivré d'un verre noir, mais encore paresseux à l'accommodation et mal voyant sous faible éclairage, j'étais sorti depuis un mois de la polyclinique quand l'usage nous amena, Mariette et moi, à célébrer nos noces d'argent. Je dis bien : l'usage. Plus que l'envie. L'argent est un métal semi-lourd, densité 10, 5 : un métal de transition qui, bail doublé, nous donnera droit à l'or, densité 19, 5, compte tenu du poids des ans et de la précieuse rareté des vieux ménages (la SNCF, plus réaliste, ne connaît que la carte Vermeil).

Impossible de le dire, mais ces vingt-cinq ans me rendaient morose. L'usure devenait sensible. Même si l'on a les moyens de mettre un peu plus de beurre dessus, même s'il est resté du pain quotidien, l'amour, au temps des régimes, se rapproche du pain sans sel. De quoi me féliciter ? De mes énervements, de mes fâcheries, d'un quart de siècle d'insuffisance ? De l'avachissement lent de l'intimité conjugale ? Du regret qu'on éprouve à considérer que tous les actes importants d'une vie soient derrière nous, que le passé bétonne un présent sans inattendu, donc sans avenir ?

Je n'étais pas chaud ; mais les enfants, si ! Ce n'est pas la première fois que je le constate : cette génération, qui rechigne au mariage, reste très marieuse de ses parents. Elle ne veut pas vivre comme nous avons vécu, oh ! là ! là ! non ! Elle ne veut pas non plus être privée de ses respectables origines, de ce qui peut illustrer les bonnes façons de sa mise au monde. Ils en voulaient, les Quatre ! Avec l'aide de Tio et surtout, j'imagine, avec l'aide de Gilles – promoteur numéro un de la ville, désormais, avec les moyens que ça suppose – ils avaient évité le gueuleton banal et loué pour la journée un des bateaux-mouches aménageables en restaurant-dancing qui peuvent balader plusieurs douzaines d'invités sur ces plans d'eau aux liserés verts qu'offre notre carrefour de rivières ; et ils avaient concocté un scénario où l'affection était difficile à démêler de l'amusement comme de l'ironie et dont nous ne fûmes instruits qu'après avoir mis le pied sur la passerelle.

Onze heures venaient de sonner et l'hélice aussitôt se mit à baratter en bord de quai une eau fleurie d'écorces d'orange et de paquets de gauloises vides. Louis prit le bras de sa mère ; Yvonne s'empara du mien. Nous passâmes entre deux haies d'honneur formées par le ban disparate de leurs familiers : garçons en arlequin, en pierrot, en smoking trop large emprunté à leur père, filles en robe longue, en colombines, en Angevines nanties de la coiffe à ailes tuyautées et nœud de satin bleu. Nous fûmes conduits devant M. le Maire, autrement dit Nicolas, affublé d'un frac et d'une écharpe tricolore sûrement sortis comme le reste du magasin de farces, attrapes et déguisements de la rue Saint-Laud. À sa droite, assise à une petite table où figurait le registre – en l'espèce, le fourre-tout –, Marceline jouait le rôle de secrétaire de mairie. Nicolas ne nous laissa pas le temps de sourire et déclama :

– Mariette Amélie Christiane Guimarch, consentez-vous à reprendre pour époux Abel Henri Charles Bretaudeau…

*

Il restera de cette bouffonnerie, dans le fourre-tout, un *acte de confirmation conjugale* signé par nous, contre-signé par les enfants, tandis qu'un tourne-disque incitait l'assistance à chanter *Les Vieux Mariés*.

Cependant, au fil du courant et se signalant sur l'eau plate par des ondes lécheuses de rives, le bateau-mouche descendait vers le pont de Pruniers, vers le pont de Bouchemaine. Au-dessus de nous se croisaient des vols noirs de corbeaux et des vols blancs de mouettes, s'abattant çà et là pour vermiller sur des labours frais. Les jeunes dansaient. Les vieux mariés, pas si vieux que ça, postés à l'avant du bateau, là où bruisse l'étrave, songeaient vaguement à ce qu'ils avaient fendu de vie pour toucher à la cinquantaine.

Pour résumer l'année soixante-dix-huit, l'oncle a eu tort de se lever, le soir de la Saint-Sylvestre, à minuit moins cinq, et de lâcher, verre en main, cette boutade :

– Un bébé éprouvette, deux marées noires, trois papes et, fait encore plus exceptionnel, quatre succès pour quatre examens chez les Bretaudeau !

Vraiment, il soufflait dans le buccin ! On sait bien que l'acte de naissance, qui faisait le rang, a été remplacé par l'acte de connaissance, alias diplôme, censé l'assurer aujourd'hui. Mais quand les Danoret, les Tource ou autres Gouveau parlent de leurs enfants, comme des chefs d'établissement, en termes de résultats, ils m'agacent. Quand je les imite, je me le reproche. Chaque semaine compte cent soixante-huit heures et il ne faudrait tenir pour importantes que les cinquante heures d'étude, ce petit quart de vie qui, seul, conditionnerait l'avenir : ce petit quart ressemblant à s'y méprendre à celui que je consacre à mon travail et qui me fait appeler *maître*, inexorablement, comme si je n'étais que ça, comme si ma toge, les recouvrant, était plus importante que ma chemise ou ma peau. La question revient, lancinante ? Où est donc notre vraie vie ? Que vaut donc l'« autre part » faite de sentiments, de pensées, de rêves, de loisirs, de discussions, d'activités qui ne paraissent pas avoir de conséquences ? N'est-elle pas pour les Quatre – comme pour moi – celle qui mérite le plus d'attention ?

Des quatre succès, d'ailleurs à quel point nous flatter? Deux d'entre eux sont plutôt des échecs petitement réparés. Quelle commune mesure y a-t-il en effet entre le CAP de couture de Yane et le passage en troisième cycle de médecine de Nicolas? Quelle commune mesure entre une première partie de licence en droit pour Yvonne et, pour Louis, un simple certificat d'école ne lui fournissant qu'un débouché précaire?

En fait, rien de changé pour Nicolas, sauf qu'il a maintenant accès aux services hospitaliers. Louis a eu un peu de chance: le voilà casé chez un publicitaire, où il gagne le smic, qu'il épargne aux trois quarts *pour le jour où il se mettra en ménage avec Rose*. Yane a rejoint la boutique où figure maintenant sur la vitrine l'inscription SOS COUTURE. En ce qui concerne Yvonne, je retiens avant tout l'annonce qu'elle nous a faite en juin:

– Au mois d'août, j'irai camper avec Bastien en Auvergne.

Bastien est un nouveau venu, aperçu cinq ou six fois dans le vivoir. Comme Yvonne ne sollicitait pas notre avis, nous avons compris qu'il s'agissait d'un faire-part.

*

Mais la surprise de l'année est venue de Rennes.

La dispersion Guimarch semblait atteindre son comble avec le départ pour Poitiers d'Aline et de Roland, qui y ont racheté un cabinet, quand en compensation Julien nous est arrivé.

Nous le devons à un drame absurde. Ses parents se promenaient un dimanche boulevard Aristide-Briand quand un calot, lâché par un enfant penché sur une barre d'appui de fenêtre, est venu frapper Gabrielle II à la tempe. Trépanée, elle a survécu, mais a dû être internée, tout espoir étant exclu de la voir recouvrer la raison. Que faire du petit? Éric était tout à fait incapable de l'élever seul. Personne ne se proposait dans la famille de sa femme. Alors, sachant bien ce que Julien représentait pour sa grand-mère, Éric est venu lui confier l'enfant.

Nous étions là, réticents, estimant la charge trop lourde pour une femme de soixante-seize ans qui se déplace avec difficulté. Elle-même, pleine de convoitise et maudissant son âge, hésitait. Mais Yane, qui nous avait accompagnés, observait Julien, étonnée, un œil – le plus foncé – à demi fermé. Je connais ce regard-là : celui qu'elle a pour sa mère grippée ; celui qu'elle avait pour son cousin Herbert. Julien aussi était un cousin, plus proche : un garçon blond, assez long pour ses huit ans, raide dans son pantalon et ne levant les yeux sur personne. Soucieux de nous fléchir, Éric envisageait pour lui l'internat, dès qu'il aurait l'âge…

– Il n'en est pas question ! protesta Yane, comme si elle avait voix déterminante au chapitre.

L'embarras nous fit taire, puis la surprise. Un centimètre après l'autre, toujours silencieux, Julien se rapprochait de Yane, qui se rapprochait de lui et, le contact établi, lui posa simplement une main sur la tête. L'adoption réciproque était si évidente et tout le monde avait si fort envie d'un arrangement que personne ne souleva d'objection quand Yane décida :

– Puisque j'y travaille, autant habiter ici. Je pourrai aider Mamoune et m'occuper de Julien.

C'est ainsi que, sans aller loin, Yane, la première, a bel et bien quitté la maison.

1980

Nouvelle accélération du temps qui nous dépouille.

Je peux feindre d'en rire, si ce n'est que de mes cheveux. Mais c'est aussi de mon souffle, plus court; de ma vigueur, plus lente; de ma mémoire, qui me force à tout noter.

Ce sera de mes enfants, bientôt: les parents, ces drogués de l'affection, ils voient venir leur manque. Des problèmes qui nous ont accablés, il sera sans doute aussi rude d'être délivrés: de ce qu'il offre – en se l'offrant –, le don ne prévoit pas l'abandon. Une de partie! Un autre pourrait suivre. Les deux derniers sont absorbés par des études, des tâches, des responsabilités croissantes qui nous enlèvent de l'importance. Banal est le soupir:

– Ils ont leur vie à eux, maintenant: c'est de moins en moins la nôtre.

Et si connue qu'elle soit, on n'aime pas la réponse:

– C'est même pour ça que vous les avez élevés.

*

Bien qu'elle ne soit ni si précise, ni si forte, ni de même nature, l'inquiétude pourrait bien être réciproque. Voilà deux fois que Nicolas me conseille:

– Fais-toi faire un check-up.

Yvonne, c'est de sa mère qu'elle a plutôt souci:

– Qu'a donc Maman, en ce moment ? Elle s'énerve pour un rien, elle n'a plus de patience.

Ce qu'elle a ? Une chose dont les femmes ne parlent jamais à leurs enfants parce qu'elles ne peuvent leur dire : *Je vous ai faits, je ne pourrais plus vous faire et, l'avouant, je me sentirais moins mère*. L'absence d'intérêt dans le regard des passants, la bonhomie dans celui du mari, l'alourdissement, le défaut de sommeil et d'appétit, la pourpre aux joues qui dans l'instant passent au livide, la poitrine qui glisse, les fanons, l'aigreur en bouche, le plaisir qui en tout s'affadit, c'est un tout qui porte un nom désagréable que Mamoune, depuis longtemps déprogrammée, s'interdit de prononcer. Elle utilise une expression tombée en désuétude :

– Mariette se désenchante.

Les filles l'entendent selon le Larousse et, prenant l'effet pour la cause, murmurent : *dépression*. Qui ne s'agacerait d'une maladresse qui semble avoir cessé de pouvoir tout faire et, qui pis est, de tout comprendre ? Quand Mariette lâche une assiette et, pour se venger de ses mains, en expédie une autre au carreau, ça reste innocent. Certaines remarques sont plus gênantes et donnent l'impression qu'elle repart en arrière. À une amie, désolée d'être obligée, malgré les précautions prises, de conduire sa fille au centre d'IVG, je l'ai entendue dire :

– Le meilleur contraceptif, nous l'avions quand nous étions jeunes filles : c'était la chasteté.

Reparaît ainsi Mariette Guimarch, fugitivement, qui redevient Mariette Bretaudeau pour demander à Yane *si elle n'a besoin de rien* et à Yvonne *si elle prend bien ce qu'il faut* sans tenir compte du silence que sa fille n'a jamais rompu. Mais quelle Mariette a lancé un soir à la cantonade : « Tu sais, chérie, l'amour, s'il n'y avait pas l'emballage, ce serait bien surfait ! »

*

Surfait ? En ses chères conséquences ? Sûrement pas. Quelques jours plus tard, dans un choc pourtant assez bénin contre une porte d'armoire, elle s'est abîmé le poignet. Averti, accouru, prenant l'affaire en main, Nicolas nous conduisit lui-même dans le service du Pr Moncat, radiologue qui le connaissait bien et, à titre d'épreuve, lui permit d'interpréter le premier les clichés de l'avant-bras de sa mère sur l'écran lumineux. L'assurance de mon fils, soudain professionnel, m'étonna moins que la façon dont soudain se neutralisait sa voix :

– Fêlure du radius juste au-dessous de l'apophyse styloïde. La réduction de l'opacité de l'os semble indiquer qu'il est fragilisé par un certain degré d'ostéoporose…

– Exact ! fit le professeur, sans autres compliments.

– Vive toi ! cria Mariette, oubliant complètement la douleur pour esquisser un applaudissement.

Elle jubilait soudain. Pas plus que moi, d'ailleurs. N'avait-il pas fallu plus de vingt ans pour que, parti de l'abécédaire, Nicolas en arrive à la précision d'un diagnostic ? *Ce que tu seras me paiera*, disait ma mère lorsque j'avais quinze ans. On n'oserait plus le dire. Nous ne devons éprouver, voyons ! que des sentiments gratuits, purs de toute gloriole, dégagés de tout transfert personnel.

Tant pis ! Elle se disait merci.

Et tant mieux si mon exemple, en son temps déploré, pouvait être utile à tirer mon fils du provisoire !

– En gros, estimait récemment mon oncle, tu as été assez fidèle à ta femme.

Il savait qu'en détail c'était plus contestable. Mais il est vrai qu'à l'exception d'une courte liaison avec Annick je n'en ai depuis mon mariage jamais eu d'autres. Quant à mes amours de garçon, hormis Odile, je ne puis citer que des passades et encore, les comptant sur mes doigts, faudrait-il que je m'en coupe.

*

Alors, qui était donc Me Lecharasson ?

Venue de Tours s'occuper d'un client récemment installé à Angers, elle plaidait contre moi dans une affaire de captation. Parce que leurs têtes gardent leurs cheveux, parce que leurs jambes sont vivantes, la toge sied mieux aux avocates qu'aux avocats, exposant le vieil ivoire de leurs calvities et aussi mal ensachés que les moines dont le pantalon dépasse du froc. Quand j'en ai une en face de moi, j'ai l'œil rafraîchi malgré la prudence que m'inspire l'art féminin de la persuasion. Me Lecharasson, pas vraiment vieille chatte, encore moins minette, avait-elle été jolie ? Ou passable ? La seconde hypothèse semblait la plus probable et le temps coupable d'avoir épaissi des lèvres de caoutchouc qui plaidaient bien. Elle fut brève. Ayant tort, je fus long et, l'affaire mise en délibéré, je saluai l'adversaire du menton. Mais dans le couloir elle me rattrapa :

– Tu n'as pas trop changé, Abel.

– Pardon !

Elle se retourna pour inspecter l'alentour, puis répéta :

– Tu n'as pas trop changé. Moi, si ! La preuve, c'est que tu ne me reconnais pas. Tu te sers toujours de l'auberge de Mirvault ?

C'en était une ! L'auberge de Mirvault, aujourd'hui agrandie, mais conservant son cyprès, son belvédère, son bord de lente Mayenne qu'enchante le froissement d'eau de l'écluse, c'était le bon rendez-vous, à distance convenable, à l'abri des *kriegsgefangenen* revenus des camps pour exercer leur paternel pouvoir longuement interrompu. C'en était une ! Mais qui ? Pouvais-je lui demander son nom de jeune fille ? Et la date ? Et la durée ?

– Et tu voulais qu'on se revoie ! reprit Me Lecharasson. Ne cherche pas, va ! Je présume que tu es aussi incurablement marié que moi. Bon courage !

Elle me quitta en talonnant le dallage. Qu'elle se fût piquée, je comprenais : tout se passait si discrètement à l'époque que mon souvenir même l'est resté. Puisqu'elle était devenue avocate, sans doute s'agissait-il d'une rencontre de fac. Mais à quoi bon chercher, en effet, ce qu'on peut supposer à bon escient perdu ?

*

En rentrant, je croisai Nicolas qui, sur l'autre trottoir, descendait la rue d'Alsace, au bras d'une inconnue. Il me fit un petit signe de la main, doigts écartés, dont je connaissais la traduction : *Affirmatif, mais sans importance*. Je répondis du pouce levé : *Admiratif, mais sans compliment*.

N'était-ce pas, en effet, un lundi : jour où souvent, le soir, vient se pointer Marceline ? La nièce de Gilles plaît beaucoup à Mariette. Elle ne me déplaît pas. Elle est hôtesse d'accueil à L'Immobel, la compagnie de son oncle. Elle a chez nous, comme lui, ses habitudes. Au besoin elle sait de quel placard se tirent la nappe et les tasses à thé. Elle jouit d'un statut particulier, différent de celui de Rose, petite amie reconnue bien qu'interdite d'escalier, ou de celui de Bastien, simple escorteur. Il est assez clair que son vœu, aussi tu que têtu, est le titre d'un film : *Cours après moi que je t'attrape !* Mais surtout ne le laissons pas entendre ! Susceptible et pas pressé, Nicolas ne saurait tolérer de ses parents que Marceline soit tenue par eux comme une *possible*.

Le départ de Louis, je m'y attendais, mais pas si vite, pas sous cette forme. Il est vrai qu'on précipite souvent ce qu'on veut éviter. Quelques semaines plus tôt, Mathilde avait téléphoné, suave :

– Ça va, vous autres ? Nous, ici, nous serions plutôt contents. Rose craignait de rester sur le sable avec son BTS. Mais Ernest vient de lui trouver un poste de secrétaire bilingue dans une fabrique de papiers peints à Tours… et une chambre convenable, tout près de son travail, dans une pension de jeunes filles.

Sous-entendu : un garçon ne saurait y mettre les pieds, et comme ce maudit Louis fait de la barbouille à Angers, alléluia ! Ce qu'il y a de touchant chez les Gouveau, c'est que rien n'altère leur naïveté. Mis au courant, Louis fit seulement : *Je sais ! Je sais !* Le samedi suivant, la moto partit pour Tours. Elle en revint. Elle y repartit plusieurs fois. Puis, un dimanche, elle n'en revint pas. Entre Mariette et Mathilde, ce soir-là, avant et après dîner, s'échangèrent deux coups de fil aigrelets. Nous en attendions un troisième quand, surprise ! ce fut le notaire, Me Langloux, qui m'appela. Il avait la voix ronde qu'il a chez lui et qui diffère beaucoup de celle qu'il utilise à l'étude :

– Excusez-moi, Abel, mais j'ai là Rose et Louis qui m'ont été amenés par leur amie, ma fille Bernadette. Leur démarche est singulière et je ne vois pas bien comment les aider, mais ils m'émeuvent… Figurez-vous qu'ils sont venus me consulter sur la validité d'un contrat de cohabitation ! À cet égard, je n'ai rien à apprendre à l'avocat que vous êtes. Je pense toutefois qu'il vaudrait mieux mettre les choses au point, vous et moi, avec les intéressés. Ils se sont arrangés pour être libres demain midi. Si vous en êtes d'accord, je viendrai prendre le café… Je vous passe votre fils.

Et mon fils dit, forçant le ton :

– Salut ! Nous avons trouvé une chambre de bonne. Fraîche, tu imagines ! Jusqu'à ce que je trouve un boulot à Tours, je ferai la navette avec une carte d'abonnement. Pour cette nuit, ne vous inquiétez pas : on couche chez Zouf.

– Préviens Liré, tout de même ! eus-je le temps de crier.

Tandis qu'il raccrochait, une réflexion m'amusa. Les parents de Zouf jouissent d'une réputation libérale. En fait, la grande porte chez eux ne s'ouvre jamais. C'est par une petite porte de côté qu'on accède au sous-sol servant de salle de concert et, à l'occasion, de dortoir. Les Duchemont ont choisi l'ignorance du dessus pour le dessous.

Me Langloux arriva le premier. Ami autant que notaire – et souvent celui de mes clients –, voilà douze ans que je le vois sécher, se réduire à un petit vieux fringant dont la cravate reste percée d'une épingle à cabochon de topaze, de même nuance que ses yeux aux paupières presque rases. La rumeur assure qu'il fut très sourcilleux à l'égard de ses deux filles du premier lit, bien établies. Mais veuf tardivement remarié, il se laisse déborder par Bernadette, qui a tous les droits. Quand je le priai d'excuser *les enfants*, il rit de bon cœur :

– Tiens donc ! Vous aussi, pour simplifier, vous employez le pluriel.

Il est bavard, et, quand un sujet le touche, son tic le reprend : il fait craquer ses doigts.

– Mais comment dire ? reprenait-il, bonhomme. *Concubin* est déplaisant. *Amant*, dont le féminin est *maîtresse*, ne s'applique plus qu'aux adultères. *Mec* est vulgaire et le *compagnon*, si ce n'est que celui du tour de chambre, ne me botte pas davantage. J'aime mieux la simple conjonction : *il est avec…*

– Je crois que les voilà, dit Mariette, soulagée par une pétarade suivie de claquements de porte.

Rose et Louis, l'entourant du bras gauche, furent bientôt, sans manières, assis sur le tapis. Me souvenant d'avoir été plus que réticent à son égard, j'y allai d'un sourire à la demi-bru en laissant bourdonner à mon oreille un des refrains de la belle-mère : *Une fille, ça vous arrange ou ça vous abîme un garçon.* Louis, Rose ne l'abîmait pas. Cependant Yvonne, la main sur le bouton, entrebâillait la porte :

– Je peux ?

– Entre, fit Mariette, mais ne te crois pas forcée de prendre modèle.

– À chacun le sien, fit paisiblement Me Langloux. Rose, vous avez votre texte ?

– Oui, dit-elle, mais honnêtement je dois dire que nous l'avons rédigé à partir d'un contrat établi par un couple du New Jersey et reproduit par un hebdo.

Intervenir s'imposait pour bien me montrer dans le coup :

– Pour autant que je sache, là-bas pas plus qu'ici n'existe pour un couple d'engagement à terme. Je comprends bien ces jeunes gens : ils s'étonnent que l'union libre soit tenue pour accidentelle, alors que plus de la moitié de leurs amis sont dans cette situation.

Me Langloux prit le relais :

– Aussi difficile de légiférer dans ce domaine qu'en orthographe ! La loi ne peut tenir compte que de l'intérêt public et du consensus : l'un n'est pas clair, l'autre n'est pas acquis.

– Mais, objecta Yvonne, la Sécurité sociale dit oui : celui des deux qui travaille couvre l'autre.

– Et le fisc dit non, fis-je. Il exige deux déclarations de revenus, où un gagneur ne peut compter à charge sa chômeuse. La situation peut devenir féroce. J'ai connu un fils d'industriel qui hébergeait une dactylo. Il s'est tué en voiture et quand la jeune femme, grièvement blessée, est sortie de l'hôpital, elle s'est retrouvée à la rue, infirme.

Héritiers naturels, les parents ne lui ont même pas rendu son linge.

– Écrase ! souffla Louis.

– Personne n'a l'intention de vous décourager, dit Mariette, mais il fallait que tout soit net. Laissez-moi ajouter que si je peux comprendre le refus d'un livret, je saisis mal l'objet d'un contrat…

– Entre le tout ou rien, il faut bien quelque chose ! s'écria Louis.

Il tenait tête à nos regards compatissants. Le quelque chose dont il parlait, nous le savons dans le métier, vaut à la chancellerie d'être assaillie de projets contradictoires. Déviance, défiance devenue courante envers toute mise en consigne du cœur ! Depuis que tant d'amours consentent à tronçonner le toujours, comment le mariage, cette pérennité qui si souvent se trahit, ne paraîtrait-il pas, pour beaucoup, remplaçable par de simples accords encadrant un provisoire qui dure ?

– Mais lis-nous donc ce contrat ! réclamait Yvonne. Dans dix minutes je repars pour la fac.

Et Rose se mit à lire d'une voix de nonne animant le silence d'un réfectoire.

*

Entre les soussignés Rose Gouveau et Louis Bretaudeau a été passé le suivant accord, qui n'entend ni justifier une situation, ni la tenir pour un essai, ni la considérer comme une fin, encore que les contractants en espèrent la continuité.

Regrettant que dans ce pays il n'existe aucun statut qui prenne en compte une relation ouverte (et non fermée comme le mariage), Rose et Louis souhaitent qu'il en soit voté un, porteur de tous les effets désirables, et d'avance, après examen, envisagent d'y souscrire.

Ils se comporteront en conséquence comme s'il existait un partenariat civil ne transformant pas en contrainte l'union de deux libertés et ne s'obligeant qu'à ses propres règles.

En conséquence, ils conserveront chacun leur nom, bien en évidence sur la boîte aux lettres ou la carte de visite.

Ils ne mettront jamais en cause leur indépendance professionnelle, leurs goûts, leurs opinions.

Ils partageront les tâches domestiques en se les répartissant de gré à gré.

Ils prendront à deux toute décision d'ordre privé.

Ils verseront chacun les deux tiers de leur salaire sur un compte commun assurant leurs dépenses, mais disposeront à leur guise du dernier tiers.

Locataires indivis de leur domicile, ils seront pour le reste séparés de biens.

Locataires également, mais non propriétaires l'un de l'autre, ils tiendront l'infidélité pour une rupture de bail, au choix de la partie lésée.

Ils estiment qu'il serait actuellement déraisonnable d'avoir un enfant. S'ils changeaient d'avis, néanmoins, l'enfant n'obligerait Rose et Louis qu'à le reconnaître en le tenant – comme la loi devrait le faire – pour légitime. En cas de séparation, il ne sera pas disputé, sa mère consentant à son père l'exercice de l'autorité conjointe.

Tacitement renouvelable, le présent contrat est, par nature, de durée indéterminée. S'ils veulent le dénoncer, Rose et Louis s'engagent à respecter un délai de réflexion de trois mois. S'ils s'y tiennent, rien ne fera que cet acte privé, même nul aux yeux des tiers, ne résume pour eux l'élection renouvelée qu'ils veulent vivre entre la fragilité et la ténacité de l'amour.

*

Que ce texte méritât l'estime et nous mît en même temps dans l'embarras, nul doute ! Comment lui donner raison sans nous sentir classés, nous, parents très époux, parmi les paléos de la conjugalité ? Comment ne pas me souvenir de l'apostrophe de Tio, lancée à Martine et à Roland, aujourd'hui mariés, mais professant alors le mépris des anneaux : *Ni pour la nuit ni pour la vie ? Ben, voyons ! Ce vieux souci n'exige pas de si longs développements!* Apparemment plus réticente que moi, Yvonne, dont les libertés ne se revendiquent pas, mais se prennent dans le secret parfumé de ses silences, se dispensa de commentaires.

– Il est l'heure: je file!

– De qui, l'adaptation? demandait Me Langloux.

– De Rose, dit Louis.

– Mes compliments! Tu serais gentil, Louis, de m'envoyer une photocopie de ce document: j'aimerais l'avoir dans mes archives.

C'était aussi le moment de rallier son étude, comme moi le Palais et Mariette la boutique. À deux pas de la porte, Me Langloux eut un remords et se retourna:

– Louis, n'oublie pas de passer à la mairie et de réclamer un certificat de cohabitation, à titre locatif ou social.

Il eut en s'éloignant un clin d'œil complice. Mais complice avec qui? Avec moi? Avec Louis? Mariette ne se décidait pas à bouger. Moi non plus. À l'évidence, Rose et Louis attendaient quelque chose, s'étonnaient de ne pas être devinés. Rose me tendit le contrat, sans sourire:

– C'est votre exemplaire, dit-elle. Nous en avons fait tirer une trentaine, pour la famille et les amis.

– Mais qu'espérez-vous de ça? murmura Mariette.

– Nous voulons être tenus pour un couple, un vrai, sous la forme que nous avons choisie... Tu vois? dit Louis.

Il me regardait droit dans les yeux.

– Notamment, ici! ajouta-t-il.

C'est tout juste s'ils ne nous demandaient pas notre bénédiction ! Elle manquait, mais nous ne pouvions pas nous brouiller avec eux sous prétexte que leur définition du couple bousculait la nôtre. L'accession au premier leur fut donc symboliquement acquise et, reconnu, leur choix de se rechoisir à volonté.

Mais les trente exemplaires du contrat, dont certains passaient de main en main, m'inquiétaient. On ne consent jamais tout seul. On consent avec ou contre des tas de gens qui, sur la question, sont imprévisibles. Nous allions en entendre !

– Bravo ! a dit Tio. Qui autorise l'un ne peut rien défendre à l'autre. Si chacun amène sa chacune, de nuit, y aura des surprises au petit déjeuner !

– L'âne non plus ne se marie pas, a dit Mamoune, mais il ne va pas le braire sur les toits.

– Triomphe du *corazon* privé ! Refus de l'obligation, de la permanence, de l'institution ! Table rase du légal et du sacramentel ! Un papier tout trouvé ! Je peux publier ? me téléphona le docte Samoyon, que j'envoyai sur les roses, en me demandant qui avait bien pu lui refiler le topo.

Un autre coup de fil, de Julie Chonard, me laissant comprendre pourquoi au Palais le greffier me regardait de travers, m'alerta davantage :

– Me voilà dans la même situation que Louis. Est-ce que vous ne pourriez pas en persuader Papa ?

Les Gouveau écumaient. Quand je leur fis remarquer qu'il n'était pas pensable de laisser le petit couple jouir de grelottantes amours et croquer des sandwiches dans sa chambre de bonne, qu'il fallait au moins lui aménager un modeste studio-cuisine, ils refusèrent, s'il n'était pas mis au nom de leur fille, de participer aux frais. Rose elle-même s'y opposant pour se tenir parole, l'avance sur bail, la réfection, le mobilier, nous dûmes tout assumer : ce que, sans états d'âme et se fiant à la Providence dont nous avons procuration, les intéressés acceptèrent volontiers sans faire remarquer autre chose qu'une certaine étroitesse des lieux, tandis que l'oncle, cette fois, trouvait l'effort tout à fait normal et me serinait la maxime :

– La seule façon de retenir, parfois, c'est de soutenir.

Demeuraient (sans parler des gros) des menus problèmes de vocabulaire qui sont comme des grains de poivre sur la langue des cohabitants, comme sur celle de leurs proches. Quand Louis me dira *Papa*, les tiers seront toujours surpris que Rose lui dise *Chéri* et qu'elle m'appelle *Monsieur*. La présentation d'un couple qui refuse l'état civil, pour des oreilles un peu chatouilleuses, réclame l'appui sur la conjonction : Rose *et* Louis. Mais les mêmes, souvent, se feront un plaisir de vous demander des nouvelles de « ces enfants-là » en faisant l'inverse :

– Que deviennent les Bretaudeau juniors ?

Les surnommer « les Tourtereaux » comme le fait Gilles, lui-même d'origine tourangelle, reste innocent. Mais Danoret a des trouvailles plus pointues :

– Sais-tu que, par ma mère, je suis vaguement cousin de ta pas-fille ?

Pas-fils, pas-fille, en des fonds de campagne, désignent encore ce que nous appelons des beaux-enfants. Mais Rose elle-même ne manque-t-elle pas de salive, n'emploie-t-elle pas le raccourci populaire qui dispense de toute précision : « Entendu, Monsieur, nous signerons, nous deux Louis ? »

Année médiocre en définitive.

Échec pour Nicolas, qui, nanti de son CSCT (le certificat de synthèse clinique et thérapeutique : on n'obtient plus que des sigles !), a loupé le concours de spécialités et se retrouve interne de médecine générale.

Échec d'Yvonne, qui, licenciée en juillet et n'ayant pas voulu attendre, comme la plupart des candidats, d'avoir sa maîtrise, s'est plantée en deux matières et devra se représenter à la porte, très encombrée, de l'École nationale de la magistrature, plus brièvement dite ENM.

Voilà que nos doués trébuchent : les sages peuvent bien me dire qu'en eux je me suis trop investi ; ils ne m'ôteront pas le sentiment de m'être étalé moi-même.

*

Au moins ai-je quelques satisfactions rue des Lices. Maintenant j'y passe à peu près chaque jour. Hier, il y avait dans la boutique un de ces étudiants que les instituts de sondage embauchent pour leurs enquêtes. Il s'agissait de faire, une fois de plus, fonctionner l'applaudimètre pour un hebdo de jeunes en citant dans l'ordre de préférence les dix meilleurs artistes contemporains. Mariette servait une cliente et Yane, souriant de biais, une canine dehors, s'occupait du sondeur :

– Comment comparer ce qui n'est pas comparable ? Autant décider quel est le meilleur légume : le chou, la carotte, le navet, le salsifis ou la patate ?

– Je note : *ne sait pas*, fit le garçon.

– Notez : les derniers, demain, seront peut-être les premiers.

Pouffant, puis se lançant dans l'escalier, elle m'entraîna jusqu'au second dans sa chambre-atelier, où un mannequin déshabillé exhibait des fesses de carton. Sur la table de coupe, un coupon de soie noire brochée d'or attendait sa transformation en robe de cocktail. Yane dansait sur ses pantoufles :

– Tu vois, je me lance ! J'ai un enfant à élever et le moins qu'on puisse dire est que l'oncle Éric est chien. Mille francs par mois et une visite par trimestre...

– Ça t'arrange ! Si Éric voulait le reprendre, son fils, tu n'aurais rien à dire.

– Tais-toi, je t'en prie.

Je glissai dans la chambre voisine. Si en dehors de son matériel il n'y avait dans l'austère chambre de Yane qu'une table et un lit de camp, dans celle de Julien triomphait la multicolore débauche de plastique : autos, motos, hélicos, bateaux, animaux de mini-zoo, robots, offerts à gogo pour la Saint-Tout-le-Temps, en partie cassés et dispersés sur le parquet dans le joyeux désordre des plaisirs de chiot : désordre contredit, comme souvent, par un petit bureau, deux rayons de livres et le poste de télé, moins discutable, maintenant que les cassettes rendent l'écran responsable des jeux de l'enfance électronique.

– Si tu le voyais se débrouiller avec ça ! fit Yane d'une voix mouillée.

L'adoration pour le dieu-marmot m'a longtemps agacé : dans la bouche de Mamoune, surtout, et, un peu moins, dans celle de Mariette (mes gènes étant en question). Dans la bouche de Yane, elle me rajeunit en m'inquiétant : ce coup de foudre adoptif qui ne s'est pas démenti, est-ce normal ? Et pourtant, comme nous sommes loin de la petite élève nulle et désolée de l'être ! Fille mère par greffe d'enfant, elle respire la satisfaction de l'être sans hormones et sans droit. Elle semble ne pas se préoccuper un instant d'être agréable à regarder: pour quiconque et pour personne. Si elle feignait de se désoler, c'était encore pour Julien:

– Dix ans, en CM 2, ça va, mais je ne pourrai jamais l'aider en rien. Tu crois que je devrais prendre Tio comme répétiteur ?

Je grognai que oui. Après tout, je suis l'oncle de Julien et en même temps un peu son grand-père: donc très capable de remplacer Éric. Il est vrai qu'au début Julien ne connaissait que Yane; il restait sur le qui-vive de l'orphelin remboursé par une chance incertaine et terrifié à l'idée que, pour récupérer ma fille, je pourrais le réexpédier à Rennes. Il s'est bien rassuré. Mais l'idée que je pourrais le récupérer, lui, comme petit cinquième, manquant d'une voix d'homme, fait l'objet de ce genre de propos qui tiennent à distance. Ça n'enchante vraiment ni ma femme, qui me réserve aux Quatre, ni Mamoune, qui s'estime chez elle, ni ma fille, jalouse de son rôle.

– Tu l'entends ? Il monte...

Le pas calme de Julien, revenant de sa leçon de piano, m'ôtait toute importance. Oncle Abel, baisant un front de neveu au passage, redescendit pour se faire accrocher par Mamoune, immobilisée par l'arthrite et qui en profitait pour nettoyer son argenterie:

– Si ce n'était que le jambillon, Abel ! Mais, quand on ne sent plus le poupon, le mal-en-train vous guette de partout...

Comme beaucoup de gens d'âge, par moments elle ressortait du vieux parler. Trop heureuse d'avoir des nouvelles et de faire fonctionner Radio-Guimarch, elle tenait à m'apprendre que Gabrielle, celle de Cahors, en était réduite à faire des ménages; que Catherine, la Canadienne, ne donnait plus signe de vie; qu'Aline, après avoir eu un petit René d'un homme marié, se serait mise en ménage avec un certain Roger Lagaudain, représentant, divorcé, déjà père d'un garçon, et dont elle attendrait, d'après l'échographie, une petite fille. Quelles complications, mon Dieu ! Comment s'y retrouver? Les choses étaient tellement plus simples autrefois!

Entre deux phrases je la voyais sucer la pastille de menthe mise en réserve dans un coin de bouche. Il y a beau temps que sont épuisées ses réserves d'indignation. Cependant, lorsque Mamoune s'enfonce dans les considérations sociales, la retraite s'impose. Comme je tenais le battant de porte, changeant de ton comme de sujet, elle me lança dans le dos:

– Ça vous tracasse comme moi, Abel! Yane a vingt ans. Va-t-elle attendre d'en avoir trente et que Julien soit élevé pour faire sa vie?

1982

– Enfin nous rentrons dans le normal ! s'est écriée la belle-mère, quand nous l'avons mise au courant.

Marceline a gagné. Voilà presque un an que Nicolas, cessant de passer de l'une à l'autre, s'en tenait à la future et lui permettait, semble-t-il, de prendre quelques acomptes dès le présent.

La mairie, c'est pour bientôt.

*

Ce n'est pas miraculeux, mais franchement il était temps qu'il se produise un événement qui nous sorte un peu des attentes déçues, des disgrâces de la sélection, de la question obsessionnelle : *Quand seront-ils casés* ? Je ne connais rien de plus éprouvant que de balancer entre ce qui vous apparaît, selon l'humeur, tantôt comme une demi-satisfaction, tantôt comme une déconvenue.

Yvonne, menant de front sa maîtrise et sa prépa redoublée de l'ENM pour la seconde fois, a réussi la première et raté le concours. Comme elle n'a le droit de s'y présenter que trois fois, elle tentera cette année sa dernière chance.

Louis s'est replié sur Tours, où Rose, c'était inattendu, a réussi à le faire embaucher par son propre patron. Ses œuvres se tireront à des milliers et des milliers d'exemplaires, se colleront sur tous les murs ! L'artiste travaille dans le papier peint.

Pour Nicolas, adieu définitif aux spécialités. Lui, il n'avait droit qu'à deux essais. Il sera généraliste.

*

Mais *bien* marié ! On sait ce que signifie cet honorable adverbe qui fait partie des mots confits, aujourd'hui, dans les sourires. Marceline le voulait, Nicolas. Elle l'a. J'ai toujours pensé qu'il serait d'accord, en temps utile. Dans l'aimable souci qu'on a de se désoler à leur propos, on oublie que, parmi les jeunes, les garçons qui *se rangent* (comme on disait jadis) après vingt-cinq ans pullulent ; et que plus hâtifs au lit, donc comblés, donc moins motivés à cet égard, ils n'en sont que plus sensibles à d'autres arguments. Sainte Égalité ! En ton nom, peu d'agrégés épousent des serveuses, peu de sous-lieutenants des ouvrières. Mon fils ne sera peut-être qu'un médecin de quartier trottant de grippe en rougeole, mais il aura sans doute moins de mal que d'autres à s'établir. J'en connais qui ressusciteront l'aigre expression des envieux : *Il a trouvé la fille qui le fera monsieur plus qu'il ne la fera dame*. Comme je n'y suis pour rien, pourquoi me sentirais-je obligé de le taire et même de laisser croire que j'en serais fâché ?

Selon l'usage, je suis même allé demander ce que Nicolas avait déjà obtenu. Mariette y tenait. Comme Marceline est orpheline et que son oncle lui tient lieu de père, nous nous sommes en fait contentés de nous rendre au siège de L'Immobel, peuplé de crépitantes dactylos. Depuis notre commune entrée en sixième et ces lointaines années où il collectionnait des six et des huit, Gilles s'est vengé des chiffres, et celui qu'on retrouve dans son bureau, c'est un grison content de ses graphiques, de ses meubles, de ses tapis, de ses tableaux (trois Commère, flattant l'orgueil local). Il a toujours sous l'œil droit une papule grosse comme un grain de blé ; il étend maintenant devant lui son pied bot qu'il traite de porte-chance. Le trait bleu de sa boutonnière est récent. Pour ne pas m'arrondir la bouche, j'avais opté pour un exorde simplet : *Alors, Gilles, on les marie, mais quand ?* Un rire me devança :

– Bravo ! Vive le rétro ! Moi, tu vois, je serais même pour les rosières. Une sur cent, ça devient original. Mais je ne peux pas t'assurer que ce soit le cas…

– Gilles ! protesta Mariette qui regardait le bout de ses pieds.

Mais Gilles avait des raisons d'insister :

– En tout cas, ne tardons pas. Personne ne s'aviserait de reprocher son chéri à mon hôtesse, à condition qu'elle ne prenne pas trop d'ampleur. Si la cause est admise, elle n'est pas, dans ce métier, absoute de ses effets.

Un instant, allant de l'un à l'autre, nos regards formèrent un triangle :

– Ne vous étonnez pas, reprit Gilles. Marceline ne le sait que depuis ce matin. On avance donc la date. Que diriez-vous du samedi 4 septembre ?

Le 4 septembre, il plut.

Un orage mou, dépliant quelques éclairs, chassa de la pelouse du Plessis-Macé un arc-en-ciel de robes longues qui se réfugièrent dans la grande salle.

Nous nous serions contentés d'une guinguette, mais Gilles entendait profiter de l'occasion et, à sa gloire comme à ses frais, n'avait pas hésité à louer pour la réception finale cette partie du château où se tiennent colloques, grands mariages, chapitres du Sacavin. Mobilisés avec nous et une douzaine de gens de robe affluaient la fleur de ses relations, ses cadres, ses gros clients, ses fournisseurs, brassés avec des gens de la mairie, de l'Université, du Rotary, de la chambre de commerce : mélange peu angevin, aboutissant toujours à la formation de grumeaux d'invités s'isolant dans la masse.

Dans mes chaussures neuves – détail stupide –, j'avais mal aux pieds et m'étais un instant assis auprès de Tio. Depuis longtemps je ne l'avais pas entendu gloser d'aussi bon cœur :

– Rien à voir, Abel, avec l'ancien mariage ! Parce que jadis le mariage, c'était quoi ? Tout bêtement, le contraire de la veille, le passage de l'interdit sexuel au devoir conjugal.

Il pointait le nez vers la région où évoluait Marceline dans son nuage de tulle.

– Et maintenant ? Ce qui est fait n'étant plus à faire, neuf fois sur dix, c'est de l'enregistrement. Reste le blanc, tu me diras. Exact ! Mais c'est du blanc papier...

Au fond, c'était à peu près ce que je pensais : désormais, les dates sont hypocrites. Je me relevai : il fallait tout de même me faire voir, serrer des mains, dire des choses aimables. J'allai saluer un groupe d'entrepreneurs connus pour leur prospérité dont attestaient leurs dames transformées en devantures de bijouterie. Puis Gilles me repéra, m'entraîna, se fit présenter au procureur, au président du tribunal, me présenta à un adjoint, à un colonel, à je ne sais plus quel responsable du Comité d'expansion économique. Absorbé par un vif échange de chiffres avec le directeur du Crédit Lyonnais, il ne s'aperçut pas que je filais pour me rapprocher du groupe compact des jeunes, à petite distance de qui, volontairement, je me laissai accrocher par une dame d'œuvre dont le surnom de « Tire-bouton » est on ne peut plus justifié.

Tandis que cette sainte femme m'incitait à me croiser pour la défense d'un projet de classes de mer, j'observais, je recensais, je comparais, autour des mariés, ceux qui durant des années avaient été des petits, puis des moyens, puis des grands dans les mêmes boîtes, qui demeuraient encore leurs familiers et dont, retenant les noms, je savais encore quelque chose.

Bel échantillonnage de garçons et de filles dont les profs, les proches, les malveillants de service avaient prédit le probable destin au nom de leurs talents ou de leurs démérites, entre-temps révisés par les hasards ! Il y avait là, comme de juste, Rose et Louis, franchement goguenards et ayant pris grand soin de s'habiller à la diable. Il y avait là Yvonne, sans chevalier servant, et Yane, en robe sortie de ses mains, sans Julien, opéré deux jours plus tôt de l'appendicite.

Il y avait là, farceur et rigolard, Hubert, le Dahut, potard accompagné par une préparatrice du labo où je me fais faire mon check-up annuel ; Myrtille, la sœur de Rose, fidèle à L'Aubaie, flanquée de Christophe, cousin issu de germain d'usage imprécis; Élodie, mariée, presque aussitôt divorcée, accompagnée par un inconnu; Jeanne Chonard, coiffeuse en stage aux Trois Perruques, que fréquente Mariette, et Julie, sa jumelle, vendeuse aux Nouvelles Galeries, la première sans attitré, la seconde ayant enfin récemment réussi à se mettre en ménage avec un Nantais; Adrienne, élève à l'École normale, fiancée à un camarade plus foncé qu'elle; Gautier, toujours dit «Zouf», comptable, vivant maintenant chez sa rousse; Edmée, sa sœur, secrétaire en chômage, revenue chez ses parents après une courte aventure; Adèle, mère célibataire d'un bébé de six mois, bannie par ses parents, accueillie par sa tante, fleuriste, devenue sa patronne; Laetitia Hombourg, au bras de son mari, ingénieur chimiste; l'aîné Danoret, séminariste, et son cadet, polytechnicien traînant sa rapière et remorquant la fille du patron de l'Hostellerie des Quatre Vents, bon quatre-fourchettes titulaire d'une étoile Michelin et d'un queniau de platine.

– Vous ne m'écoutez pas, disait la dame. Je comprends: vous êtes ému...

J'allais oublier Bernard. Pourquoi? Parce qu'il vit avec un certain Jean-Loup, comme lui employé à la préfecture? Et j'allais oublier Martine et Roland, exemples de soixante-huitards en pleine réussite, qui discutaient avec Josette Tource, une droguée, exemple du contraire.

Je poussai plus avant. Je fis le tour, l'épaule en étrave, glissant entre des verres. Je me retrouvai à l'entrée, poste fixe de Mariette, mère invitante, assistée de quelques autres comme Mme Hombourg, Mme Leleu, Mme Tource, Mme Gouveau, cette dernière un peu jaune et n'affichant, pas plus qu'à ses côtés un taciturne Ernest, la joie de n'avoir que des filles sans livret. Apparemment, les dames faisaient aussi leurs comptes de nuptialité, constataient le déficit. J'entendis un consolant propos:

– Rien de perdu! Maintenant on se marie plus tard.

Peut-être. Mais de toute façon quelle différence avec les dernières grandes noces Guimarch datant déjà de plus de quinze ans: celles d'Arlette, devenue cette décharnée mélancolique, qui, pour épargner les jambes de Mamoune, doyenne du petit négoce, la poussait lentement parmi ses pairs dans un fauteuil roulant !

– Vous avez vu ? me lança-t-elle au passage.

Son regard s'attardait sur la table où la coutume expose les fleurs et les cadeaux. Les patentés, repérables à leurs cartes de visite, avaient fait des efforts sans consulter la liste. Deux ménagères, trois couteaux électriques et deux aspirateurs en témoignaient. Mais ce qui choquait Mamoune, évidemment, c'était une cage dorée où se blottissaient deux colombes effarées. Comme son identité, l'ironie du donateur ne faisait aucun doute. *Mariage, amour en cage ?* Mais Louis ne démontrait-il pas qu'on peut tout aussi bien s'enfermer dans sa liberté ?

Yvonne, nous aurions pu la garder.

Je ne lui en aurais pas voulu – alors, là, pas du tout – de rater définitivement l'ENM. Comme les études sont semblables, comme l'examen qui conduit au barreau ne comporte pas de *numerus clausus*, je la voyais très bien se reconvertir, prêter serment, accomplir ses trois ans de stage, s'inscrire et, pourquoi pas ? constituer avec moi une société civile d'avocats qui lui épargnerait l'attente de clientèle...

– Mon père m'a laissé la boutique ; j'espère plus tard la repasser à Yane, dit Mariette. Pour Yvonne aussi, c'était tout cuit, si elle avait voulu...

Mais proposer aux enfants de leur refiler son métier comme on leur refile son nom devient, pour la plupart, presque une offense. Avenir, terrain strictement personnel ! Pour les parents, zone *non aedificandi* ! Même recalée, ma fille, plutôt que d'accepter une sorte de filiale, se serait sans doute retournée vers une autre carrière juridique. De toute façon sa troisième tentative réussit et, devenue auditeur de justice, elle n'avait plus qu'à rejoindre l'ENM à Bordeaux.

*

Nous l'avons conduite à la gare un peu comme un colis de porcelaine dont on a peur qu'elle arrive cassée. Bien qu'elle n'en soufflât mot, je savais qu'elle venait de rompre avec Bastien, je pouvais m'inquiéter de sa tendance à faire jeûner ses désenchantements. Elle avait beau se réfugier dans le sérieux d'un tailleur bleu marine, la petite jeune fille qui s'en allait, pour apprendre un métier solennel, ne faisait pas un instant penser aux Thémis, bombant de généreuses poitrines et pesant l'air dans leurs balances, qu'on voit un peu partout statufiées dans les prétoires. Et puis seule, loin de nous, loin d'une chaude intimité, quelle maigre vie privée pourrait-elle donc vivre ? Sur le quai, tirant sur roulettes sa grosse valise, elle refusa le mandat mensuel dont parlait sa mère :

– Non, l'avantage de l'ENM, c'est que je serai tout de suite appointée.

Et me devinant bien, dans un baiser rapide elle me glissa dans l'oreille juste au pied du wagon :

– Allons ! Ne me crois pas plus fragile que je ne suis.

*

Nous sommes rentrés à pied, franchissant d'un petit saut nerveux les bords de trottoirs. Ma clef grinça pour moi ; puis la porte, s'ouvrant sur la tiédeur et sur l'odeur maison. Logiquement nous aurions dû déboucher dans le vivoir. Mais sans nous concerter, marche par marche, nous sommes montés. Les chambres étaient ouvertes ; les meubles, qui sont faits pour être ouverts ou, au moins, pour que l'on bouge autour, s'ennuyaient sur place. Un réveil continuait à battre pour personne, chez Yvonne, mais les deux cadres où nous figurions côte à côte avaient été emportés : il en restait les clous et deux rectangles de papier, légèrement plus foncés.

– Excuse-moi, j'ai l'impression d'être sourde, j'ai besoin de faire du bruit, dit Mariette, redégringolant l'escalier pour mettre le premier disque venu sur l'électrophone.

1983

Pas d'épilogue dans les histoires de famille qui, comme les routes, ne connaissent que des embranchements. Pas de retraite consentie, même dans l'éloignement. Hors de la maison, comme jadis hors de leur mère, les nôtres se sont risqués. Et nous prétendons : *En face de ce qui change nous restons ce qui dure.*

Mais le quotidien est moins fier ! Et j'en vis les détails.

*

Le plus courant, le plus sot, c'est de m'être laissé aller à penser et même à dire : *Ouf ! Je suis déchargé.* Traduire, s'il vous plaît : *Qui perd son rôle a moins de poids sur la terre.*

Pas plus acceptable, la consolation que l'on se donne : *Nous revoilà tous deux seuls, comme au début.* Absolument faux ! Il ne s'agit plus des mêmes personnes. Ni des mêmes sentiments : l'amour, cet alcool, est retourné au sucre.

Ce qui est vrai, c'est que le chat, personnage jusqu'ici furtif, sauf pour Yvonne qui l'appelait Mitis, est désormais caressé de tête en queue. Sa promotion est claire : Mitis est celui qu'on nourrit, soigne et brosse pour le payer de sa présence.

Notons aussi que le piano chôme. Je l'ouvre de temps à autre : ce n'est plus qu'un grand dentier qui dévore du silence.

La boutique ne rachète guère la maison. Mamoune, qui décline, prophétise sa mort prochaine : elle sait ce qu'elle a et qu'il n'y a rien à faire. Mais je passe une ou deux heures par jour avec Yane, qui fait triompher la confection, et surtout avec Julien.

Les six colonnes du Palais soutiennent ce temple où, du moins, je suis toujours le même.

Mais les dimanches sont longs, si nous n'avons personne.

Il y a beaucoup plus de place dans le réfrigérateur qui ne contient pas la même chose. Mince avantage : nous n'avons plus à subir les goûts – prioritaires – de nos émigrés.

Un sac poubelle, tous les trois jours, suffit.

Les notes d'eau, de gaz, de fuel, d'électricité ont notablement diminué. Mais celles du téléphone ont doublé et nous sommes devenus de gros clients des P et T.

*

Grande consommation de papier à lettre. Grande consommation de timbres : pas les plus courants sur lesquels s'ennuie la République, mais si possible ceux de plus grand format célébrant la faune, la flore ou les châteaux, donnant plus d'importance à l'enveloppe. Nous faisons voyager, aussi, de petits paquets et de modestes chèques. Nous recevons quelques cartes postales.

Tout le monde, en effet, préfère le fil. Tant pis pour les relevés bimestriels ! Au moins deux fois par semaine nous faisons la tournée, aux résultats variables. Mariette commence par appeler Yane. Elle la voit tous les jours, ce qui ne l'empêche pas de la relancer quelquefois avant d'aller se coucher. Il se trouve qu'aujourd'hui elle est à Rennes, où elle tient à présenter Julien une fois par mois.

– Allô, chérie, quand reviens-tu ? Par quel train ? J'ai trois commandes pour toi…

À moi de tourner le cadran. Le numéro de Pontchâteau, où Nicolas fait un remplacement, après longue sonnerie, se décroche et une voix râpeuse me crie :

– Le jeune docteur est en visite !

Pas plus de chance avec Louis, qui a dû emmener Rose au cinéma. Mariette me reprend l'appareil. Voyons Bordeaux :

– Allô, Yvonne ? C'est Maman...

Ce qui serait étonnant, c'est que ce fût quelqu'un d'autre ayant la même voix. En voilà pour vingt bonnes minutes. Entendre, faute de mieux, n'est-ce pas voir par l'oreille ? Nous sommes bien heureux, ma femme, de vivre au XXe siècle. Il n'arrive pas toujours, mais il arrive souvent que dans la même heure nous ayons des nouvelles de tous, avec une rallonge de potins ou d'états d'âmes. Voilà deux cents ans, pour savoir seulement s'ils n'étaient pas enrhumés, il aurait fallu des semaines.

*

Mais est-ce donc suffisant ?

Nous comptions beaucoup sur les vacances. Mais les uns ou les autres, nous les avons moins reçus qu'aperçus : entre deux trains, entre deux bruits de moteur. *Vacances* est un pluriel de dispersion qui ne veut plus rimer qu'avec *distances*, comme enchantement avec mouvement.

1989

Si j'en fais le tri, je trouve comme chacun que j'ai vécu environ cinq mille jours d'enfance, à quoi ont succédé deux mille d'adolescence et deux mille de fringant célibat. Le jeune marié, ensuite, en a compté quinze cents, avant de devenir un père en exercice durant près de dix mille, ce qui est le tiers d'une vie; et deux mille sont encore passés depuis que je porte ce titre de grand-père, confirmant mon état en l'affublant de l'adjectif *grand*, euphémisme de restriction.

Ni l'appellation ni la situation qui la mérite n'ont changé, mais ceux qui en ont le statut seraient-ils donc les mêmes? Les passants qui les croisent sur les trottoirs savent-ils bien qui est qui et à quelle génération les rattache une apparence en d'autres temps plus facile à dater?

Si l'art d'être père reste et restera probablement inférieur à celui d'être mère, à l'échelon suivant c'est aussi vérifiable; et ça se complique d'une toute nouvelle estimation de leur âge par ceux qui ont à le porter. Vieille tendance qui fait triompher un siècle où a presque doublé la moyenne de vie, où le roquentin pète de santé dans la longévité! Un grand-père d'aujourd'hui ne joue plus le rôle d'aïeul. Les effusions paternes de Toussaint et le diminutif alarmant de *Pépé* me feraient horreur.

Insupportable, le genre l'est-il moins pour Mariette, de tradition Guimarch? Voire! Mère et grand-mère, Mariette est aussi la fille de sa maman, Mamoune. Comment pourrait-elle être *Mamie ?* Elle cherche un petit mot de remplacement. L'anglais *Granny* est trop connu : il ride. *Nenna*, comme en arabe, serait inoffensif, mais déroute. Elle flotte. En tout, d'ailleurs. Regrettant que la marmaille se réduise pour l'instant à deux bambins dans un seul ménage, espérant moins de dispersion, de pertes de contact, elle n'est vraiment ulcérée qu'en voyant éludés ses conseils, pourtant rares. Je l'ai entendue alors se résumer d'un trait :

– J'aimerais quand même qu'on me traite en mère aînée.

Elle n'a pas dit : *en grand-mère*, vaguement consciente qu'à ce stade l'expérience risque d'être tenue pour périmée.

Nicolas n'est qu'à trente kilomètres.

Du genre barbu-chevelu qui semble réfléchir dans son poil et en tirer une science aussi touffue, le Dr Bretaudeau a fait son trou. *Un trou de lapin*, dit-il lui-même. C'est un médecin de sous-préfecture, rayonnant depuis Segré sur les communes voisines, Louvaines, Nyoiseau, La Ferrière-de-Flée, et sur les hameaux du bocage où, l'hiver, sa voiture s'embourbe dans les chemins de ferme. Il aurait préféré Angers. Mais, avec cent cinquante généralistes et autant de spécialistes, la ville est à ce point saturée qu'un nouveau venu peut très bien n'y pas gagner le smic. Et puis, rachetant les murs au nom de sa nièce, Gilles a repris à bon compte un cabinet presque déserté.

Praticien soucieux d'élargir sa pratique, dérangeable à toute heure, devenu assez vite le pathétique numéro de téléphone que les mères appellent pour un 38°, Nicolas vit de son stéthoscope et de son volant, secondé par sa femme qui lui sert de secrétaire. Destin moyen excluant l'indigence et le grand train. Destin confiné dans un cercle de dix kilomètres de rayon, concentrique à celui de bonnes relations locales qui ont parfois ouvert à ses pareils un avenir municipal. Destin conjugal qui, après la perte du premier espoir de Marceline à l'occasion d'une chute dans l'escalier, a fait naître dans les deux années suivantes un Charles et un Gilles: prudemment prénommés, comme l'on voit; et prudemment accouchés par un collègue, Nicolas voulant garder l'œil net :

– Le passage du corps-fleur au corps-fruit ne décore pas le souvenir ! disait-il. Je trouve la mode imbécile qui ne ménage pas le désir.

Père en tout cas, il l'est : ni absent, ni contraint, ni délirant. Quand il est fatigué, il trouve ses mômes impossibles et, quand il est d'aplomb, il se loue volontiers de n'être pas sans mérite ni sans suite en ce monde. Il a tous les défauts de l'emploi et les analyse bien : sans zèle pour les corriger, sans indifférence à ses manques :

– Un *nouveau père*, moi ? Cite-m'en un vrai pour que je le prenne en exemple ! C'est une tarte à la crème, cuite par des célibataires. Alors, un ancien père ? Pas davantage. Tu l'as lu, dans la revue où tu te produis quelquefois, ce prof qui nous attribue cinq minutes par jour de véritable attention à nos gosses ? Il ne sait pas, celui-là, que ça peut être cinq secondes en surcharge et cinq heures en vacances ? C'est pour suffire à notre métier que nous sommes insuffisants envers ceux qui, avec nous, en vivent.

Noble protestation ! J'y reconnais quelqu'un. Et je me dis qu'à son tour, inéluctablement, il va subir la série des « jugements de Mikhailkov » avec ses deux gamins qui, à six ans, penseront : *Papa sait tout* ; à douze : *Papa ne sait pas tout* ; à dix-huit : *Papa ne sait rien* ; pour revenir à trente à l'opinion moyenne : *Papa avait quand même une certaine expérience.*

*

À trente minutes d'Angers, le jeune ménage reçoit notre visite à peu près une fois par mois, le dimanche, quand Nicolas n'est pas de garde. Nous traversons ce déploiement de vert peuplé de bœufs qui en font de la viande rouge. Ils meuglent jusqu'aux abords de la petite ville rassemblée, en creux de val, autour du dôme de son église et des souvenirs de la minière endormie sur son fer. Le Dr Bretaudeau habite un premier étage dont les fenêtres donnent de biais sur le confluent de l'Oudon et de la Verzée, ces deux rivières qui, sous leurs nénuphars, ne semblent jamais pressées d'aller grossir la Mayenne : pas plus que les gens du coin de se précipiter sur les dernières nouveautés.

– Ce sera de l'improvisé, dit Marceline en passant à table.

Sa génération, quand elle veut se régaler, préfère le restaurant. À la maison, ce n'est pas de la malbouffe, mais ce n'est plus guère de la cuisine. Du surgelé ! De l'empaqueté sous vide ! Du plat tout fait que réchauffe le micro-ondes ! Le pater est à réviser : *da nobis carnem* devrait remplacer *da nobis panem*. Je ne dirai pas que les plaisirs de la bouche ont été remplacés par les plaisirs du sexe, mais la table a perdu du prestige et ne se montre plus capable de retenir les enfants sur leurs chaises. Ça se complique du va-et-vient de Nicolas qu'on sonne, qui file, qui reviendra manger des légumes froids quand nous en serons au café. Entre-temps, le yaourt que Charles n'avalait pas est tombé sur le parquet, le décorant d'une vaste étoile blanche dont quelques satellites ont atteint mes chaussures. Mariette, à grand tort, s'est mise à quatre pattes pour réparer le désastre et l'embarras de Marceline n'en sera que plus grand pour demander :

– Nous sommes éreintés. Nous rêvons de deux jours sur le sable au Croisic. Pourriez-vous nous prendre les petits, une de ces fins de semaine ?

*

Je ne dis pas oui, Mariette ne dit pas non. Marceline sait bien qui de nous est le plus sensible au revenez-y ; et que le souvenir des incessants coups de main que nous donnait la belle-mère n'est pas un mince argument.

Je balance. Je confesse que je ne suis pas grand-père aussi attentivement que père, que j'ai de bonnes et de mauvaises raisons pour ça. Bonnes, parce que nous remplaçons mal des parents dont les règles ne sont plus forcément les nôtres. Un peu moins bonnes, lorsque j'estime qu'ils vont grandir, les mignons, et qu'après avoir réactivé l'affection d'enfants devenus parents ils vont dans un second temps forcément la reconcentrer sur eux. Encore moins bonnes, mes raisons, quand j'estime que les couches, les pots, les sauts de landau en bord de trottoir ou les petites mains tenues aux passages cloutés, les jouets cassés, les cris, les rhumes, les veilles, les paracentèses, les sottises, c'est l'affaire de nos Segréens. Et tant qu'à faire je peux m'autoriser à penser, certains jours, qu'ils peuvent nous les amener proprets, peignés, lacés, sentant l'eau de Cologne, dignes d'être mignotés, baisotés, présentés aux dames qui n'en ont pas de si beaux, qui en gloussent d'envie... à condition que, si d'odeurs, de pleurs, de fuites diverses nous sommes incommodés, ils les remmènent, les mouchent, les torchent, les remettent en état ! Pour notre paix, Seigneur !

En fait, c'est une résolution à quoi par faiblesse, concours de circonstances, mesure dite exceptionnelle bien que duplicative, satisfaction forcée ou dévotion grognonne, je n'ai cessé de faillir.

La plus absente, Yvonne, a joué aux quatre coins. Successivement auditeur de justice à Bordeaux, en stage de juridiction à Lille, en stage de perfectionnement à Paris, enfin nommée substitut à Pau, elle a choisi la magistrature *debout :* celle qui fait l'inverse de ce que tente un avocat.

Huit ou dix jours à la maison, c'est ce qu'elle nous accorde, avant le grand voyage annuel qui la mène une année au Kenya, une autre au Brésil ou en Norvège, jusqu'à la rentrée judiciaire : seule ou accompagnée, nous l'ignorons. De Pau, elle continue à utiliser le fil : pas pour des confidences sur elle-même ni sur le monde fermé, plutôt mal aimé des tribunaux, mais presque uniquement pour nous demander de nos nouvelles sans trop donner des siennes.

Nous sommes allés la voir à Pau. Nous n'avons pas vu le substitut dans son bureau, mais notre fille, chez elle, dans un trois-pièces sans tapis, ni cadres, ni rideaux, sans meubles autres que les indispensables. Au bout d'une chaînette d'or, un modeste médaillon, peut-être vide, glissait entre ses seins. Sûrement moins habituée de sa cuisine que du restaurant, elle nous emmena tout droit manger du coq au madiran chez Pierre, où je remarquai que, se faisant appeler Madame, elle hélait les serveurs par leurs prénoms. Sa familiarité avec la carte expliquait sans doute pourquoi – sans drame, cette fois – elle s'était légèrement enveloppée au bénéfice de l'importance discrète qui convient au métier.

Tout allait bien, je lui parlais de sa grand-mère en bien piteux état, de sa sœur, de ses frères, de ses tout jeunes neveux quand, floc dans le sirop, Mariette gaffa :

– Ils ne te font pas envie, ces petits ?

Si quelqu'un tourne sept fois sa langue avant de parler, c'est bien Yvonne. Mais c'était la dix ou douzième fois que, sous une forme ou sous une autre, revenait sur le tapis la question de son célibat :

– Ça non, alors !

Ce fut lancé assez fort pour que, des tables voisines, on louchât vers la nôtre. Mais ne consentant qu'à rajuster sa voix, pour la première fois Yvonne vidait son sac :

– Si j'étais suédoise, si j'habitais un pays où l'on ait compris qu'une femme ne doit pas avoir à choisir entre son métier et ses enfants, un pays où elle soit assurée des mêmes droits, des mêmes promotions, du même salaire qu'un homme, un pays où il y ait des crèches ouvrant tôt et fermant tard, des logements décents, des congés prévus pour soigner les enfants malades, un pays où l'on estime le service de maternité plus haut que le militaire, alors peut-être…

Elle posa sa main sur celle de sa mère et continua, plus doucement :

– Le dévouement cent pour cent, l'épanouissement zéro, non, merci. À ce prix-là, je ne me reproduis pas… et dans ce cas, pourquoi me marier ? Je n'ai pas besoin d'un homme pour vivre et, s'il avait besoin de moi, lui, je ne l'estimerais pas. Le fait que je vous aime, tous les deux, ne m'engage pas forcément à vous imiter. La solitude est un atout qui, dans une carrière, permet de tout lui consacrer. Il y a longtemps que le clergé l'a compris…

Elle tripotait son médaillon en parlant, mais je ne distinguais aucune hésitation dans sa voix. Plaidant un peu trop sa cause, elle insistait, nous donnant en exemple, pêle-mêle, Jeannie Longo, Cory Aquino, Marguerite Yourcenar et la présidente de la Cour de cassation. Citant cette dernière, elle eut un petit rire, comme si elle se défendait tout de même de l'avoir en point de mire. Mais nul n'aurait pu douter de sa sincérité quand elle avoua :

– Sans prétention, je participe à la conquête d'un pouvoir. Savez-vous que ma promotion à Bordeaux comptait soixante pour cent de filles ? Après les écoles, les lycées, nous investissons les tribunaux.

*

Nous étions songeurs en revenant. Une crevaison sur l'autoroute, à la hauteur de Saintes, nous fit du bien en nous obligeant à changer de souci. Mais il nous reprit au passage de la Loire, sur la file de ponts qui enjambent ses bras sous la protection de notre père Dumnacus, le chef andécave statufié au-dessus des eaux :

– Exister pour elle seule ! murmura Mariette.

Investir tout en œuvre, rien en chair, évidemment cela devait lui apparaître comme un reniement de ce pour quoi elle avait existé. Pourtant, dans l'idée que les femmes se font désormais de leur accomplissement, n'avait-elle pas elle-même refusé le modèle purement domestique ? Yvonne allait plus loin, se débarrassait du couple, millénaire équilibre sur quatre pieds, et lui semblait manquer à la sagesse dont, à longueur du jour, elle faisait profession.

– Quelle sécheresse elle va vivre !

Je me défendais mal de le penser aussi ; et cependant, je me rendais bien compte que la bêlante importance accordée à leur bercail par les trois quarts des gens peut, aux yeux du dernier quart, rabaisser l'existence. Dans l'histoire comme dans l'actualité, les grands, les importants l'ont-ils jamais été du fait de leurs enfants ? N'ont-ils pas au contraire laissé le plus souvent aux autres le soin d'assurer le nombre, de perpétuer leurs gènes à défaut de génie ? Quant à la sécheresse, ce n'est qu'un mot de lèvres humides chez ceux qui ne parlent pas la langue de l'ambition.

– Enfin ! Si elle est heureuse comme ça…

N'était-ce pas l'essentiel ? La dernière chose (et pas la plus facile) qu'il nous faut apprendre de nos enfants, c'est que leur bonheur – état indéfinissable – peut ne rien avoir de commun avec ce que nous croyons être le nôtre.

À Tours, Rose et Louis continuaient à travailler dans cette fabrique dont la production déroulée, paraît-il, pourrait ceinturer la Terre.

Ils s'étaient faits rares durant quelques mois après le mariage de Nicolas. N'avais-je pas haussé les épaules devant leur tenue ? Et Nicolas, présentant Rose à quelques invités de marque, ne s'était-il pas permis de dire : *Ma belle-sœur ?* Pour délit de désaveu tacite, le couple espaça des visites où chaque fois ses humeurs nous mordillaient l'oreille.

Le réchauffement fut lent. Encore Marceline, coupable de détournement de frère, eut-elle droit à de plus longues agaceries, notamment à la résurrection d'un sobriquet qu'enfant elle avait détesté : « la Rainette ». Le premier neveu, Charles, offrande à Tio, ne changea pas grand-chose à cette hostilité. Le second, Gilles, offrande à l'oncle Ray, y parvint mieux, tout à fait par hasard. Né le même jour que Louis, il le désignait d'office comme parrain. L'emploi, sécularisé à tel point qu'on le voit assumé par n'importe quel mécréant, le fit à peine hésiter. Mais Rose, revenant de la clinique où elle s'était penchée sur un nouveau-né empaqueté dans de la layette bleue, fut prise d'un brusque accès de fièvre pouponnière dont Louis commença par s'étonner :

– Je ne te suffis plus ?

– Mais c'est le contraire !

Rose devait confier à Mariette que, durant toute une nuit,

elle dut débattre de la question bateau : *Pourquoi as-tu envie d'un enfant ?* dont on ne fournit pas, d'après Louis, la réponse en chantant comme le mélo : *Pour incarner notre amour*, des milliers d'autres couples n'en éprouvant pas le besoin. Son insistance, au petit matin, l'emporta :

– D'accord, si ça ne change rien à nos conventions.

Leur contrat, ils l'avaient renouvelé plusieurs fois, biffant toutefois la clause immobilière. Avec deux salaires moyens, moins de dépense et plus d'épargne que prévu, il devenait logique d'acheter un deux-pièces à crédit et de transformer les loyers en mensualités de remboursement. Il suffisait maintenant d'interpréter une autre clause : prévoyante, puisqu'elle estimait *qu'il ne serait pas raisonnable, avant longtemps, d'avoir un enfant*. Avec les années, elle changeait de sens. Louis réclama tout de même trois mois de réflexion. Espérait-il lasser ? Est-il de ces cœurs serrés qu'effraie le proverbe : *L'amour, entré en femme, passe à ce qui sort d'elle ?* Rose revit ses neveux, frémit, nous consulta (nous étions pour), consulta ses parents (ils étaient contre), malgré les réticences de Louis à son avis seul compétent (et là je lui donne raison) pour en décider avec elle. Enfin elle annonça :

– Désormais je ne prends plus rien.

– D'accord, répéta Louis, si ça ne change rien à nos conventions.

Mais Rose avait trop réfléchi ; Rose ne se sentait plus tenue par un bout de papier sur lequel personne n'avait donné de coup de tampon. Et son argument, si spécieux qu'il pût paraître, n'était pas faible :

– Nous ne pouvons plus discuter comme si nous étions deux, mais comme si nous étions trois. Or un enfant, s'il pouvait décider de son sort, choisirait forcément le plus sûr. Pour qu'il s'exprime, je suis bien obligée de prendre son parti. Tu vois ce que je veux dire...

C'est devant nous, en visite, une tasse de chocolat entre les doigts, que Rose, se sentant soutenue par notre présence, osa ainsi déchirer le contrat. De saisissement Louis en lâcha sa propre tasse qui s'écrasa sur le parquet :

– Mais, bredouilla-t-il, tu nous trahis !

*

Ils ne se sont pas séparés. Ils en sont restés là. Il arrive qu'ils fassent des allusions à d'éventuels Alex ou Edgard, Ingrid ou Maud, nous laissant entendre en somme que sur les prénoms et, *a fortiori*, sur l'existence même de leurs porteurs, il y a toujours débat et désaccord. Je sais que les Gouveau n'en sont pas trop fâchés, qu'ils voient dans ce différend une chance de rupture. Je sais – grâce à leur autre fille – qu'ils se sont même renseignés sur la façon dont ils pourraient faire décohabiter Rose en lui conservant l'appartement. Dans la famille, les oracles s'affrontent :

– Avec ses principes à l'envers, Louis finira par flanquer son ménage en l'air, dit son frère.

– Il cédera, dit Tio. Ils cèdent presque tous à la longue.

– À moins que ce ne soit elle, dit Yane.

Pronostic impossible. *Le mariage est dans de beaux draps* ! titrait récemment un hebdo. Il serait plus juste de dire qu'il n'utilise guère que des draps usagés, car le même hebdo notait que la moitié des concubins régularisent dans les trois ans et les trois quarts de l'autre moitié dans la décennie. Ce que nous savons de Louis permet de croire qu'il puisse appartenir au dernier huitième.

Bleu tenace. Vingt-cinq à l'ombre. Un été massif faisait fleurir partout les chemisettes. Les vacances avaient vidé le Palais et, en partie, la ville aux toits d'ardoise affadis par la canicule. Bas les toges ! Le procureur, le président, les juges et les collègues n'étaient plus que des baigneurs velus sur le sable de la côte d'Amour ou des escaladeurs de montagne à vaches, comme Danoret, propriétaire d'un chalet en Auvergne.

Nous, restés sur place, nous nous morfondions dans l'ombre, les chuchotements, les odeurs de pharmacie, sans même oser prendre un après-midi pour canoter sur le lac de Maine. Mamoune traînait, nous réconfortant d'augustes soupirs :

– À mon âge, rien n'est grave.

Ou encore :

– Après tout, c'est mon tour.

Ou encore :

– Pas de clinique. Je veux mourir où j'ai vécu sans être tripotée par des mains étrangères.

Elle tolérait tout juste le passage quotidien d'une infirmière. Tantôt haletante, tremblante, jaune jusqu'au bout des doigts et des oreilles, une main plaquée sur son côté droit gonflé par l'hypertrophie douloureuse du foie, tantôt bénéficiant de brèves rémissions au cours desquelles on pouvait la surprendre en train d'astiquer son lit de cuivre, elle déroutait les médecins :

– Trois mois, cinq au plus, m'avait soufflé Lartimont.

Mais cela en faisait huit qu'elle était condamnée. Elle s'en désolait, elle s'en félicitait, elle re-prophétisait chaque jour sa fin prochaine, elle bloquait tout le monde autour de ses bénisseuses exigences. Par moments elle déraillait franchement :

– Mais que fait donc Toussaint ? A-t-il pensé à la facture Desplats ?

Parfois, brusquement lucide, écossant année par année son existence, elle égrenait quantité de menus souvenirs, ronds et frais comme des petits pois. Parfois, au contraire, la tracassaient la longue liste de ses morts et, plus encore, la diaspora des vivants. Ah, les grandes réunions d'autrefois ! Elle les regrettait autant que de ne plus pouvoir descendre au magasin ni grimper au second chez Julien. Comme sa voix la lâchait, elle agitait six ou sept fois par jour sa petite sonnette de table, depuis longtemps inutilisée, elle embauchait l'un ou l'autre pour l'aider à quitter son fauteuil et rejoindre son oreiller, pour réclamer à boire, pour lui tenir compagnie.

Son état s'aggravant, il fallut bientôt lui assurer une présence permanente et, à tour de rôle, prendre la garde. Mariette ne quittait plus la rue des Lices. Moi, j'arrivais tôt le matin pour repartir tard le soir rue du Temple, quand je n'étais pas de faction. Entre-temps, je faisais les courses soit au Carrefour, soit au Super M, où les voitures étaient plus clairsemées sur le parking et les clients d'août moins nombreux à tendre aux caissières leurs cartes bleues. Mais surtout, dès que possible, je m'occupais de Julien.

*

Les arbres généalogiques nous portent comme des fruits, mais on oublie trop que sur les mêmes rameaux ceux-ci mûrissent rarement en même temps. À la même hauteur que mes fils, Julien est d'une autre génération.

Favori de Mamoune, ce Guimarch ! Favori de Yane, si éloignée d'avoir avec lui des rapports de cousine à cousin, il est encore le mien. Ils sont nombreux, ceux qui m'ont glissé à l'oreille : *C'est chic ce que vous avez fait pour votre neveu : cet enfant vous doit tout.* Une mère internée, un père qui a profité de l'article concernant les malades mentaux dans la Loi Lecanuet pour divorcer une seconde fois et vivre maritalement avec une veuve suitée de deux garçons résolument hostiles à leur non-frère... J'admets que le handicap serait lourd si nous n'étions pas là. Mais, dans le domaine des coups de cœur, sommes-nous créditeurs ou débiteurs ? Ne sommes-nous pas les deux ? Je dis *nous*, je ne suis pas sûr que ma fille en serait enchantée, mais sans vraiment en convenir elle a fini par admettre qu'il avait besoin, Julien, d'un substitut paternel et moi peut-être d'un supplément d'expérience. Pas évidente, notre chance à tous, dans cette histoire gratuite, c'est que Julien, maintenant, semble du même avis.

Une génération différente, ai-je dit. Elles le sont toutes. Julien tient de la précédente la passion de la musique (ce baladeur aux oreilles m'inquiète pour ses tympans !) et une indifférence accrue envers les tabous. Sa précocité lui donne deux ans d'avance sur ses devanciers. Grâce aux efforts que Yane a faits pour l'équiper, il vit à l'heure électronique avec une tranquille assurance. Quand il sèche, c'est sur Minitel que Julien consulte 36. 16, SOSPROF. C'est un édiciel à disquettes (patient pédago, pouvant se répéter à l'infini) qui lui permet de réviser son programme de maths. Les manipulations de magnétoscope, de caméscope, les achats, les emprunts ou les prêts de cassettes, la familiarité avec les serveurs spécialisés, comme ONISEP ou EDUTEL, pour lui c'est du banal, même quand il s'amuse à fêter télématiquement l'anniversaire de sa tante en utilisant INTERGATEAU. Appliqué à cette virtuosité (après tout pas plus étonnante que celle d'un pianiste), le mot *branché* devient éloquent : ondes, fils, nerfs, nous en sommes bien à l'interconnexion des sens.

Mais ce qui m'étonne le plus chez cet adolescent, c'est l'absence de ce qui fut, voilà vingt ans, le « devoir de rébellion », puis, dix ans plus tard, le « refuge du *Bof !* ». On a beau dire que les jeunes, disposant désormais de presque toutes les libertés, sont forcément moins revendicateurs, ça surprend d'en entendre un s'étonner des évocations soixante-huitardes et dire tranquillement :

– Ce qu'on a, c'est à eux qu'on le doit. Mais ce n'est plus le moment de s'exciter, c'est celui d'en profiter...

Les parents ? Bien que les siens soient d'occasion, il les tient comme les tiennent la plupart de ses copains et notamment Berthe, sa petite amie – fille de son prof de gym –, pour de braves gens un peu collants, un peu dépassés, chez qui se mêlent des vertus de zélateur, de nourricier, de sponsor et d'assistante sociale. Les profs ? Qui l'eût cru ? Point de hargne à leur endroit et même, pour certains, de la considération. En réclamer de bons, en nombre suffisant, avec des locaux et des moyens, c'est le seul motif capable de le faire descendre dans la rue. Un réaliste, Julien, parmi d'autres, seulement saisis par la fièvre acheteuse de compacts et de matériel photo. Le programme avant tout ! Sans couleur. Sans gloses superflues de remue-méninges. Quand deux tiers de candidats au moins se font étendre dans les concours, la lutte des places semble plus pressante que celle des classes. Du vrai, du concret, s'il vous plaît.

– Les opinions, oncle Abel, tu ne penses pas que ça vaut les croyances ? Regarde Monnier, notre maire : le voilà réélu à tous les coups par ceux qui l'avaient d'abord combattu. Parce qu'il est rose bonbon ? Mon œil ! Parce qu'il est efficace.

Riant de toute langue de bois, son insolence douce refuse de se situer. Tio dit très justement :

– Le mot clé de la nouvelle jeunesse, c'est : *elle zappe*.

Comme à la télé où il ne se fige guère, passant d'un jeu de fric à un film meurtrier, pestant contre l'audimat qui relègue l'intelligence à vingt-deux heures, s'amusant de la pub, de la surprise lapidaire d'un spot sans retenir grand-chose du message marchand, il en prend, il en laisse, il cherche à être en tout de ceux à qui on ne la fait pas.

*

J'étais justement monté dans sa chambre avec lui, le 17, après déjeuner ; nous venions d'écouter le journal de treize heures et, Julien ayant débranché l'antenne pour relier son micro-ordinateur à la prise Péritel, je commençais à m'expliquer – lentement – avec les touches à membranes du clavier, sous son regard ironique, lorsque survint Mariette, soufflant bas :

– Tu peux descendre ? fit-elle. Je croyais que Maman dormait, mais je me demande si elle n'est pas entrée dans le coma.

Mamoune ne se levait plus depuis trois jours et, engourdie par les piqûres, ne chuchotait plus que des bouts de phrases. Quand je pénétrai dans la chambre, l'opacité du silence n'était troublée que par un léger râle, traversant des lèvres décolorées. Un pouls difficile à trouver, sous une main froide, ne disait plus rien de ce cœur de forte femme qui avait tant battu pour sa tribu. Du haut de son portrait, sur la cloison d'en face, Toussaint regardait sa veuve et c'était lui qui avait l'air vivant, content de lui, de son volume et de son compte en banque.

– J'ai dix ans de plus qu'elle et il faut encore qu'elle parte avant moi.

Le murmure me fit tourner la tête. Tio était assis dans le fauteuil de Mamoune, où, rétréci, il ne cachait que la moitié du dossier. Quatre-vingt-seize ans ! Ce n'était pas le moment de m'étonner, encore moins de le remercier d'être là, si sec, si économe de souffle et de chair qu'on pouvait l'espérer centenaire et pour quelques années encore rester un neveu rassuré par la présence d'un doyen au-dessus de lui.

– J'appelle Lartimont, fis-je par acquit de conscience.

*

Mamoune tint encore une quinzaine d'heures et s'éteignit le lendemain matin à la pointe du jour, tandis que commençaient à chanter ses canaris, que je fis taire en entourant la cage d'une serviette-éponge. Pour avertir et peut-être réunir autour de leur mère et grand-mère les membres éparpillés de la famille, je m'étais longuement suspendu au téléphone. Louis et Rose, je le savais, passaient d'un camping à l'autre dans le Midi et ne pouvaient être joints. Yvonne, qui s'offrait un voyage organisé au Mexique, ne l'était pas davantage. Le répondeur de Saint-Malo répétait : *M. et Mme Rabault rentreront du Maroc le 25 août*. Celui d'Éric, sans autre précision, annonçait : *Nous sommes absents pour trois semaines*. De justesse je pus toucher Nicolas, qui, parti pour Royan à la mi-juillet, venait de rentrer à Segré. Mariette fut d'accord pour n'envoyer, ultérieurement, qu'un faire-part à Gabrielle I et aux cousins, tant Guimarch que Meauzet, devenus si lointains, si indifférents qu'ils ne se manifestaient plus et que, pour certains, nous n'étions même plus certains de leur adresse. La surprise vint de Poitiers, où, précisément, Martine recevait pour la première fois sa sœur Aline, son ami et leurs enfants divers, venus de Montpellier passer huit jours. Martine eut un rien de trémolo dans la voix :

– Avec Mamoune, c'est toute une époque qui s'en va...

Aline, lui succédant à l'appareil, me parut également nostalgique, mais sans plus :

– Mamoune, L'Angevine, c'est si loin tout ça ! J'en parlais avec Roger. Je lui disais : pendant qu'on est là, on devrait faire un saut à Angers, présenter les petits à la grand-mère qui ne les a jamais vus. Et voilà qu'il est trop tard ! Enfin, nous serons là pour les obsèques...

*

En fait, il était écrit que Mamoune, comme son époux, serait, le surlendemain, mise en terre presque à la sauvette. En vacances, on ne lit plus la rubrique nécrologique du journal local et, s'il a pu suivre, un faire-part ne décide personne à rentrer pour signer le registre obituaire d'une très vieille dame, depuis longtemps oubliée et par beaucoup déjà tenue pour défunte. Les deux pneus avant de la voiture de Martine ayant crevé sur un bout de ronce métallique gisant en travers de la route, Aline, avec la sienne, dut redescendre à Loudun pour trouver un garagiste disposant du modèle voulu. Manquant la cérémonie, les deux sœurs ne purent que nous rejoindre au cimetière et s'aligner sur la courte rangée de parents dont un défilé de moins de vingt personnes, Me Langloux et sa fille en tête, étaient venus serrer les mains.

Bientôt restés seuls entre nous, à l'exception du notaire, il nous fallut fraterniser dans la gravité, embrasser les uns et les autres, notamment les enfants, qui, pour la plupart, ne se connaissaient pas, se tortillaient, timides, ou essayaient de jouer entre les tombes. Si le coup de vieux que nous avions pris, Mariette et moi, se lisait dans les yeux de nos émigrées, l'étonnement devait se lire dans les nôtres. Depuis huit ans, Martine avait pris de l'ampleur et son mari, le géant blond, perdait ses cheveux. Quant à Aline, également plantureuse, partie d'Angers à moins de vingt ans, approchant maintenant de la quarantaine, elle était tellement méconnaissable que son ami, grison court et massif, aux yeux vairons, ne nous surprenait pas davantage.

– Roger Lagaudain, représentant, disait cet homme, un doigt pointé sur un bouton de son gilet. Nous sommes désolés du contretemps. Peut-être pourrions-nous déjeuner avec vous, avant de repartir.

– Nous avons retenu à La Salamandre, dit Mariette.

Très affectée, elle s'éloignait déjà au bras de Yane, tandis que Tio, qui ne l'était pas moins, flageolait, soutenu par Julien. Les enfants tourbillonnaient et je me demandais si, malgré ses dispositions à chanter marmaille, la disparue, navrée de ne pas les connaître tous, n'aurait pas été d'humeur incertaine en recensant ceux-ci et ceux-là : Charles, six ans, et Gilles, trois ans, Bretaudeau légitimes ; Gustave, treize ans, et Adolphe, dix ans, Practeau d'abord naturels, puis légitimés ; René, douze ans, probablement adultérin et forcément Guimarch, Benoîte, neuf ans, reconnue, donc Lagaudain, et son demi-frère, simple commensal pour l'autre dont j'ignorais le prénom. Avec Julien, adopté de fait, mais non de droit, la collection eût été complète si ses deux non-frères étaient venus enterrer leur non-grand-mère. Génitrice cinq fois légale et sacramentelle, fidèle à tout, ficelée par ses liens, fervente ensemblière, mais pas forcément joyeuse de rassembler des sang-mêlé, des rapportés, fruits d'amour morcelés, je ne la voyais pas, Mamoune, toute navrée qu'elle fût de n'avoir en fait d'arrière-petits-enfants pu seulement faire sauter sur ses genoux les fils de Nicolas, non, je ne la voyais pas, sous prétexte qu'aujourd'hui la moitié des familles se font, se défont, se refont autrement, sortir de son caveau pour s'émerveiller, la bienheureuse ! de sa descendance éclatée.

*

À La Salamandre, tandis que les femmes pour mieux s'occuper des enfants s'agglutinaient du même côté, les hommes se retrouvèrent de l'autre. Les voix d'abord tamisées, les gestes ralentis retrouvèrent bientôt – sauf chez Yane et Mariette – leur naturel. Une fois de plus je le constatais, mi-gêné, mi-soulagé : c'est vite fait de consentir à la mort d'un vieillard, de parler de « délivrance », même quand on est soi-même d'un certain âge ! La première émotion passée, Tio, grignotant, se livrait à la seconde, qui est évocatrice :

– Je suis incroyant, Abel, et pourtant chaque fois que s'en va une amie, je me demande : où est-elle maintenant ? Sous quelle forme ? On se désole ici, mais si ça se trouve, là-haut, Toussaint est ravi.

Coincé entre Me Langloux et moi, Roger Lagaudain, dont les regrets n'avaient pas lieu d'émousser l'appétit, s'abstenait décemment de faire tinter l'assiette, mais y allait d'un brave coup de fourchette. Un moment réservé, peut-être inquiet de mon jugement, peu à peu rassuré et enfin tout bonhomme, en bon représentant, il ne tarissait plus, vidait son verre en même temps que son sac. Bon le champigny ! Il vaut bien le cahors. À propos de Cahors, depuis ses malheurs, elle était portée dessus, sa belle-mère (laquelle ? il ne précisait pas). S'il était descendu à Montpellier, n'est-ce pas, c'est qu'il représentait pour l'Aude et pour l'Hérault une grande marque de savon. Et s'il n'avait pas épousé Aline…

J'écoutais, espérant d'un air morne décourager ses confidences.

– Vous comprenez, mon oncle, quand on a été échaudé…

Ça, non ! Avec une bonne quinzaine d'années de plus qu'Aline, il ne pouvait pas être mon neveu, par fausse alliance, avec des cheveux aussi gris que les miens.

– Appelez-moi donc Abel.

– Bien, Abel… Vous comprenez, Abel, quand on a été échaudé, on hésite à se remarier. À quoi bon ? De toute façon, comme j'ai l'habitude de le dire, nous ne serions pas des parents comme les autres, nous resterions des *sé-parents*. Je m'explique…

La confession n'est pas un genre souhaitable pour accompagner le gigot. Mais il était lancé :

– Voyez-vous, ma première femme m'a laissé notre aîné, Pierre, et gardé la cadette, Véronique. Nous les échangeons un week-end sur deux, à condition qu'Aline n'aille ni chercher ni reconduire aucun des deux : pour mon ex, qui les monte contre elle, ma seconde femme, c'est l'horreur. De son côté, Reine a un gamin que son père n'a pas reconnu pour ne pas risquer une séparation ruineuse d'avec une épouse qui détient les deux tiers des actions de la boîte dont il est le PDG. Ça ne l'empêche pas de vouloir s'occuper secrètement du petit en arguant du fait qu'il figure sur son testament. Il verse à sa mère une maigre pension, qu'elle hésite à refuser. Imaginez la tête que vous feriez à ma place ! Je l'élève, René, et je n'ai pas plus de droits sur lui qu'Aline n'en a sur Pierre. Livret scolaire ? Chacun signe pour le sien. Appendicite ? J'étais en tournée, il devenait urgent d'opérer mon fils, Aline téléphonait tous azimuts pour me joindre faute de pouvoir en décider… Sauf pour Benoîte, la petite que nous avons en commun, le mariage ne changerait rien…

– C'est vrai ! fit soudain Me Langloux, qui suivait ce monologue avec attention. À chacun son enfant, qui reste un étranger pour un nouveau conjoint ! Je connais un cas extrême : celui d'un homme qui avait épousé une jeune divorcée mère d'une fille de six mois. Il adorait la gosse. Il l'a élevée douze ans dans une maison achetée au nom de sa femme et, celle-ci morte accidentellement, il a été du jour au lendemain éliminé par l'ancien mari.

Tourné vers moi – qui regardais Julien avec inquiétude –, il ajouta, un œil à demi fermé :

– Encore une fois, la loi ne suit pas les mœurs ! Et là, c'est beaucoup plus grave que le manque de statut pour les cohabitants. Il s'agit d'adoptions de fait, privées de toute légalité, au détriment d'enfants qui sont maintenant des centaines de milliers à souffrir de telles situations. Exactement, quarante-huit pour cent ! Une famille sur deux aujourd'hui est recomposée...

– Encore heureux que nous ayons Benoîte pour souder ses demi-frères ! dit encore Lagaudain.

– En tout cas, me voilà majeur, mon père ne pourrait pas me reprendre, fit Julien entre ses dents.

Tio étendit deux mains au dos parcouru de grosses veines bleuâtres :

– On ne pourrait pas parler d'autre chose ? chevrota-t-il, avant de boire son café, couleur de deuil.

Une surprise nous attendait le lendemain matin.

Inlassable Mamoune ! Je me demanderai longtemps si l'idée est venue d'elle, si Tio la lui a soufflée, si c'est lui ou Me Langloux le dépositaire chargé, le moment venu, de faire le facteur. Toujours est-il qu'ouvrant la boîte à lettres, Mariette s'est écriée, tremblante :

– Je rêve ou quoi ?

*

Elle n'a qu'une enveloppe entre deux doigts. De toute évidence l'adresse est de la main de sa mère. Timbrée au tarif ancien – celui d'il y a dix ans –, elle a reçu une seconde vignette l'alignant sur le nouveau.

– Lis, toi ! dit Mariette, qui s'étrangle.

Dans l'enveloppe déchirée, il n'y a qu'une carte, format six-douze, à en-tête de L'Angevine, dont le texte bien aligné, presque calligraphié, eût ravi l'instituteur qui, à la Belle Époque, enseigna le rudiment à la petite Marie Meauzet :

Mes chers enfants, je ne date pas ces lignes car « nul ne sait le jour ni l'heure ». Je veux seulement après mon départ vous donner signe de vie et vous dire que j'ai été heureuse de vous consacrer la mienne. Sachant à quoi vous employez la vôtre, je vous remercie de ce que vous ferez encore pour mes petits-enfants.

– Des mères comme ça, on n'en fait plus ! gémit Mariette.

Il fut un temps où j'aurais pensé : Heureusement ! Il fut un temps où je l'appelais le kangourou, parce qu'elle semblait disposer d'une grande poche pour rassembler dans son giron tous les siens. Soyons juste : depuis déjà longtemps il n'y avait plus grand-chose dedans.

Je pose la carte sur la tablette, en dessous de la glace du vestibule. Combien en a-t-elle envoyé, Mamoune ? À qui ? La glace me rappelle que j'ai plus de soixante ans, que j'ai piètre mine, que j'ai besoin d'être sincère avec moi-même, que je me tracasse inutilement depuis la veille. Mariette aussi s'en est aperçue. Elle ouvre la bouche :

– Je ne pensais pas, dit-elle, que la mort de Maman te frapperait autant que celle de ta mère.

*

Impossible de lui dire qu'elle se trompe, que mon problème, c'est Lagaudain, relayé par Me Langloux, qui l'a soulevé ; que je me suis littéralement sauvé du restaurant pour ne plus les entendre. Des parents comme nous, avec des enfants du même sang, du même nom, pas surgreffés sur d'autres arbres généalogiques, vont-ils se raréfier ? Sommes-nous une espèce en voie de disparition ?

Nous voici chacun dans un fauteuil du vivoir. Mariette devrait rejoindre la boutique ; et moi le Palais. Nous tardons. Mariette a cinquante-neuf ans : elle parlait ce matin, en se levant, de céder peu à peu l'affaire à Yane, surtout si elle vient à se marier. Mariette savait ce que je ne savais pas : que Yane s'intéresse enfin à quelqu'un, qu'il n'y a pas lieu d'en être trop étonné puisqu'il s'agit de son favori d'enfance, de son cousin Herbert, dont elle avait regretté le mariage et qui vient d'être abandonné par sa femme, avec deux enfants.

Avec deux enfants ! Ce que disait Lagaudain, un avocat ne peut l'ignorer. Mais ce qu'on sait et ce qu'on éprouve quand le problème vous touche de près, cela n'a rien à voir. Yane, la sage Yane va-t-elle entrer dans une *recomposée*, comme ses cousines ? Nous revoici dans le changement. Nous en avons connu des transformations, des adaptations ! Nous pouvions penser que dans notre famille, au moins, ça se stabiliserait. Naïveté ! L'évolution continue. On change de pneus : ça roule de nouveau. On change de couple : ça va comme ça peut. Voici l'ère des *sé-parents* dont parlait Lagaudain et dont les enfants ne seront plus forcément ceux de l'union actuelle, mais de la ou des précédentes, illustrant la partition de la célèbre phrase de bas latin : *Et verbum caro factum est*, désormais détachable de son complément : *et habitavit in nobis*. Deux non-petits-fils en perspective ! Modernité, j'accours !

Et comme toujours je m'excite, j'insiste, je ressasse Plus loin ! N'ira-t-on pas plus loin à l'école des mères tournantes, à l'école des pères bourdons ? Beaux mâles, où en êtes-vous donc ? Il faut vous le redire : ce sont les femmes qui décident seules de leur fertilité ; ce sont les femmes qui décident seules d'avorter ; ce sont les mères qui seules ont la puissance paternelle sur ces enfants naturels, même reconnus, qui se multiplient ; ce sont les mères qui, neuf fois sur dix, obtiennent la garde en cas de divorce. Et ne peut-on imaginer pis ? Que serons-nous face aux mères hôtes, aux veuves inséminées par du défunt congelé, aux reconnaissances forcées de fœtus introduits chez nos femmes sans qu'elles nous aient trompés ?

– Mais qu'as-tu ? s'inquiète Mariette. Te voilà cramoisi.

Elle connaît bien mes colères rentrées, mes rongeuses réflexions. Calmons-nous. Rappelons-nous que la science a fait aussi un petit quelque chose pour nous. Les pères, pour elle, n'étaient que réputés tels : des soldats inconnus, en somme. C'est fini : une simple analyse de protéines prouve la paternité. Reconnus, nous voilà aussi mis à notre place : la même brave science n'a-t-elle pas découvert que, si vraiment sur mes quarante-six chromosomes vingt-trois sont paternels et vingt-trois maternels, je dois, *en plus*, à ma mère (outre la conception, la gestation, l'allaitement...) ces milliards de mitochondries qui peuplent mes cellules et qui, douées d'un système de reproduction autonome, proviennent uniquement d'elle. *Au nom de la Mère* prime sur *Au nom du Père!* En vain pourrais-je arguer du fait que, contrairement à l'ourse, la tortue, la vache, la poule, la chatte qui ne font que rencontrer un mâle, mon espèce fait dans la nature un sort exceptionnel au père. En vain ferais-je remarquer que des années de soins, de soucis éducatifs nous transforment, mieux que l'hippocampe, en pères porteurs. Ces exemples aussitôt se retournent contre eux-mêmes : ils redisent à l'envi ce qu'il ne faut jamais cesser de nous répéter: Adoption! Adoption, à ratifier par l'adopté! Adoption qui crée la famille!

Oui, tout de même! Pas moins que ça. Puisque je l'habite. On me l'a appris en cours de droit romain : la famille, de l'osque *faama*, maison, *c'est ce qu'il y a dedans*, quelles qu'en soient la forme et la composition. Le contenant répond du contenu. On sait ce que c'est! Mais on sait aussi que, par cent théoriciens condamnée, par autant de sondages ressuscitée, elle revient plutôt en vogue. Différente. Tolérante. Recherchant d'autres pratiques. S'adaptant plus vite que la loi. Pas génialement soucieuse de faire mieux, certes! Mais si peureuse de faire mal. Abel, tu connais ça. Et tu connais les trois cris :

Familles, je vous hais! qu'on pousse par moments.

Familles, je vous aime! tout de même plus fréquent.

Familles, je vous ai! le plus vrai, le plus constant, parce que c'est ainsi, parce qu'il faut faire avec, parce que ce n'est vraiment ni Scylla ni Cythère, mais un îlot refuge dans l'océan du quotidien.

*

Sans bouger de son fauteuil, Mariette, qui me laissait gamberger, a saisi sur le guéridon la télécommande ; le poste s'est allumé, nous offrant les prédictions d'une voyante qui annonce sans rire que, soutenu par Jupiter, Gorbatchev, en danger lors de la pleine lune, triomphera en septembre de ses adversaires. Mariette hausse une épaule. Elle éteint. Elle demande :

– Toi, c'est bien à soixante-cinq ans que tu peux prendre ta retraite ?

C'est en effet à cet âge que la Caisse des barreaux me servira une modeste rente, si je la demande. Rien ne m'y force. L'ordre a connu un centenaire en exercice. Je continuerai tant que je pourrai. Silence. Je reviens à mon sujet. Je dérive. Au mariage d'Arlette, qui l'attendit longuement, je me disais encore : l'institution triomphe ! Bien qu'elle concerne toujours les deux tiers des gens, elle semble n'y parvenir qu'à regret ; il ne fait pas de doute que, plus tardive, elle est aussi plus exposée ; et que si elle tient, c'est le pacte d'élevage, implicite, qui la défend le mieux. La question devient : si c'était à refaire, le referais-tu ?

Question vaine, puisque nul n'a deux vies, puisque je serais forcément un autre homme, un autre époux, un autre père, en une autre époque. Je me relève d'un bloc. Mariette vient de murmurer :

– Maman nous remercie de ce que nous pourrons faire encore pour les enfants… Mais quoi ?

*

Comme si elle l'ignorait ! En dehors des petites aides, nous sommes, quoi qu'il arrive, la référence, la source, le possible recours. Nous sommes ceux qui, tout simplement, existent pour qu'à leur tour ils sachent qu'on a toujours besoin parmi les siens de plus âgés que soi, pour chasser le sentiment d'être devenus moins jeunes. Ce sont des choses qui se pensent, qui se croient un peu moins et qui ne s'expriment pas.

J'ai pris le bras de Mariette. Pour une fois nous avons disposé de notre matinée. Nous avons marché, flâné, traîné devant des boutiques et finalement obéi à nos pieds qui, par les boulevards, lentement remontés, nous ont conduits au jardin des Plantes. Sous la main les grilles sont brûlantes. Un avion tire un trait blanc dans un ciel d'un bleu décoloré par le soleil. Dans la pièce d'eau, où mouvent des carpes somnolentes, se figent les nymphéas. Un peu plus loin, la spirale de troènes taillés qui tournait autour de la butte, le banc de ciment imitation bois sur lequel nous étions assis, voilà trente-six ans, un jour plus important que d'autres, n'existent plus.

– Était-ce là ? souffle Mariette.

Mais les arbres, qui dureront plus longtemps que nous, en restent bons témoins. L'if vert sombre, à tout petits fruits rouges, est toujours à sa place et le jeune acacia, qui avait accroché mon chandail, déploie maintenant toute une famille de branches épineuses dans l'air chaud qui monte et fait frémir ses feuilles.

Table

DU MÊME AUTEUR

AUX ÉDITIONS DU SEUIL

Au nom du fils, roman, 1960
Chapeau bas, nouvelles, 1963
Le Matrimoine, roman, 1967
Les Bienheureux de la Désolation, roman, 1970
Jour, poèmes, 1971
Madame Ex, roman, 1975
Traits, poèmes, 1976
Un feu dévore un autre feu, roman, 1978
L'Église verte, roman, 1981
L'École des pères, roman, 1991
Œuvre poétique, poésies, 1992

AUX ÉDITIONS GRASSET

Vipère au poing, roman, 1948
La Tête contre les murs, roman, 1949
La Mort du petit cheval, roman, 1950
Le Bureau des mariages, nouvelles, 1951
Lève-toi et marche, roman, 1954
L'Huile sur le feu, roman, 1954
Qui j'ose aimer, roman, 1956
La Fin des asiles, essai, 1959
Plumons l'oiseau, essai, 1966
Cri de la chouette, roman, 1972
Ce que je crois, essai, 1977
Abécédaire, essai, 1984
Le Démon de minuit, roman, 1988

AUX ÉDITIONS CARRÉ D'ART

Torchères, poèmes, 1991

Le Livre de Poche Biblio

Extrait du catalogue

Sherwood ANDERSON
Pauvre Blanc
Guillaume APOLLINAIRE
L'Hérésiarque et Cie
Miguel Angel ASTURIAS
Le Pape vert
Djuna BARNES
La Passion
Adolfo BIOY CASARES
Journal de la guerre au cochon
Karen BLIXEN
Sept contes gothiques
Mikhail BOULGAKOV
La Garde blanche
Le Maître et Marguerite
J'ai tué
Les Œufs fatidiques
Ivan BOUNINE
Les Allées sombres
André BRETON
Anthologie de l'humour noir
Arcane 17
Erskine CALDWELL
Les Braves Gens du Tennessee
Italo CALVINO
Le Vicomte pourfendu
Elias CANETTI
Histoire d'une jeunesse (1905-1921) - *La langue sauvée*
Histoire d'une vie (1921-1931) - *Le flambeau dans l'oreille*
Histoire d'une vie (1931-1937) - *Jeux de regard*
Les Voix de Marrakech
Le Témoin auriculaire
Raymond CARVER
Les Vitamines du bonheur
Parlez-moi d'amour
Tais-toi, je t'en prie
Camillo José CELA
Le Joli Crime du carabinier
Blaise CENDRARS
Rhum
Varlam CHALAMOV
La Nuit
Quai de l'enfer
Jacques CHARDONNE
Les Destinées sentimentales
L'Amour c'est beaucoup plus que l'amour
Jerome CHARYN
Frog
Bruce CHATWIN
Le Chant des pistes
Hugo CLAUS
Honte
Jean COCTEAU
La Difficulté d'être
Carlo COCCIOLI
Le Ciel et la Terre
Joseph CONRAD et Ford MADOX FORD
L'Aventure
René CREVEL
La Mort difficile
Mon corps et moi
Alfred DÖBLIN
Le Tigre bleu
L'Empoisonnement
Iouri DOMBROVSKI
La Faculté de l'inutile
Lawrence DURRELL
Cefalù
Vénus et la mer
L'Ile de Prospero
Friedrich DÜRRENMATT
La Panne
La Visite de la vieille dame
La Mission
J.G. FARRELL
Le Siège de Krishnapur
Paula FOX
Pauvre Georges !
Jean GIONO
Mort d'un personnage
Le Serpent d'étoiles
Triomphe de la vie
Les Vraies Richesses
Vassili GROSSMAN
Tout passe
Lars GUSTAFSSON
La Mort d'un apiculteur
Knut HAMSUN
La Faim
Esclaves de l'amour
Mystères
Victoria

Hermann HESSE
Rosshalde
L'Enfance d'un magicien
Le Dernier Été de Klingsor
Peter Camenzind
Le poète chinois
Souvenirs d'un Européen
Le Voyage d'Orient

Bohumil HRABAL
Moi qui ai servi le roi d'Angleterre
Les Palabreurs

Yasushi INOUÉ
Le Fusil de chasse
Le Faussaire

Henry JAMES
Roderick Hudson
La Coupe d'or
Le Tour d'écrou

Ernst JÜNGER
Orages d'acier
Jardins et routes
(Journal I, 1939-1940)
Premier journal parisien
(Journal II, 1941-1943)
Second journal parisien
(Journal III, 1943-1945)
La Cabane dans la vigne
(Journal IV, 1945-1948)
Héliopolis
Abeilles de verre

Ismaïl KADARÉ
Avril brisé
Qui a ramené Doruntine?
Le Général de l'armée morte
Invitation à un concert officiel
La Niche de la honte
L'Année noire

Franz KAFKA
Journal

Yasunari KAWABATA
Les Belles Endormies
Pays de neige
La Danseuse d'Izu
Le Lac
Kyôto
Le Grondement de la montagne
Le Maître ou le tournoi de go
Chronique d'Asakusa

Abé KÔBÔ
La Femme des sables
Le Plan déchiqueté

Andrzeij KUSNIEWICZ
L'État d'apesanteur

Pär LAGERKVIST
Barabbas

LAO SHE
Le Pousse-pousse
Un fils tombé du ciel

D.H. LAWRENCE
Le Serpent à plumes

Primo LEVI
Lilith
Le Fabricant de miroirs

Sinclair LEWIS
Babbitt

LUXUN
Histoire d'AQ : Véridique biographie

Carson McCULLERS
Le cœur est un chasseur solitaire
Reflets dans un œil d'or
La Ballade du café triste
L'Horloge sans aiguilles
Frankie Addams
Le Cœur hypothéqué

Naguib MAHFOUZ
Impasse des deux palais
Le Palais du désir
Le Jardin du passé

Thomas MANN
Le Docteur Faustus
Les Buddenbrook

Katherine MANSFIELD
La Journée de Mr. Reginald Peacock

Henry MILLER
Un diable au paradis
Le Colosse de Maroussi
Max et les phagocytes

Paul MORAND
La Route des Indes
Bains de mer

Vladimir NABOKOV
Ada ou l'ardeur

Anaïs NIN
Journal 1 - *1931-1934*
Journal 2 - *1934-1939*
Journal 3 - *1939-1944*
Journal 4 - *1944-1947*

Joyce Carol OATES
Le Pays des merveilles

Edna O'BRIEN
Un cœur fanatique
Une rose dans le cœur

PA KIN
Famille

Mervyn PEAKE
Titus d'Enfer

Robert PENN WARREN
Les Fous du roi

Leo PERUTZ
La Neige de saint Pierre
La Troisième Balle
La Nuit sous le pont de pierre
Turlupin
Le Maître du jugement dernier
Où roules-tu, petite pomme ?

Luigi PIRANDELLO
La Dernière Séquence
Feu Mathias Pascal

Ezra POUND
Les Cantos

Augusto ROA BASTOS
Moi, le Suprême

Joseph ROTH
Le Poids de la grâce

Raymond ROUSSEL
Impressions d'Afrique

Salman RUSHDIE
Les Enfants de minuit

Arthur SCHNITZLER
Vienne au crépuscule
Une jeunesse viennoise
Le Lieutenant Gustel
Thérèse
Les Dernières Cartes
Mademoiselle Else

Leonardo SCIASCIA
Œil de chèvre
La Sorcière et le Capitaine
Monsieur le Député
Petites Chroniques
Le Chevalier et la Mort

Isaac Bashevis SINGER
Shosha
Le Domaine

André SINIAVSKI
Bonne nuit !

Milos TSERNIANSKI
Migrations

Alexandre VIALATTE
La Dame du Job
La Maison du joueur de flûte

Franz WERFEL
Le Passé ressuscité

Thornton WILDER
Le Pont du roi Saint-Louis
Mr. North

Virginia WOOLF
Orlando
Les Vagues
Mrs. Dalloway
La Promenade au phare
La Chambre de Jacob
Années
Entre les actes
Flush
Instants de vie

Composition réalisée par INFOPRINT

IMPRIMÉ EN FRANCE PAR BRODARD ET TAUPIN
Usine de La Flèche (Sarthe).
LIBRAIRIE GÉNÉRALE FRANÇAISE - 6, rue Pierre-Sarrazin - 75006 Paris.

ISBN : 2 - 253 - 06258 - 8 30/9576/7